Synergie

2e cycle du secondaire • 2e année

Ivan Couture
Olivier Peyronnet

Cahier d'activités

ST
Science et technologie

STE
Science et technologie
de l'environnement

Synergie
Science et technologie
Science et technologie de l'environnement
2e cycle du secondaire, 2e année

Cahier d'activités

Ivan Couture, Olivier Peyronnet

© 2009 Chenelière Éducation inc.

Édition : Isabelle Rusin, Christiane Odeh, François Moreault
Coordination : Amélie Tremblay
Révision linguistique : Guy Robert, Nicole Blanchette, Sophie Lamontre
Correction d'épreuves: Renée Bédard, Linda Lefebvre
Conception graphique et infographie: Dessine-moi un mouton
Conception de la couverture : Dessine-moi un mouton
Illustrations techniques : Martin Gagnon, Michel Rouleau, Marc Tellier,
  Yanick Vandal, Late Night Studio
Impression : Imprimeries Transcontinental

GRAFICOR

CHENELIÈRE ÉDUCATION

7001, boul. Saint-Laurent
Montréal (Québec) Canada H2S 3E3
Téléphone : 514 273-1066
Télécopieur : 450 461-3834 / 1 888 460-3834
info@cheneliere.ca

ISBN 978-2-7652-1227-0

Dépôt légal : 1er trimestre 2009
Bibliothèque et Archives nationales du Québec
Bibliothèque et Archives Canada

Imprimé au Canada

2 3 4 5 ITIB 13 12 11 10 09

Nous reconnaissons l'aide financière du gouvernement du Canada par
l'entremise du Programme d'aide au développement de l'industrie de
l'édition (PADIÉ) pour nos activités d'édition.

Membre du CERC

Membre de
l'Association nationale
des éditeurs de livres

ASSOCIATION NATIONALE DES ÉDITEURS DE LIVRES

TABLE DES MATIÈRES

CHAPITRE 3

CHAPITRE 4

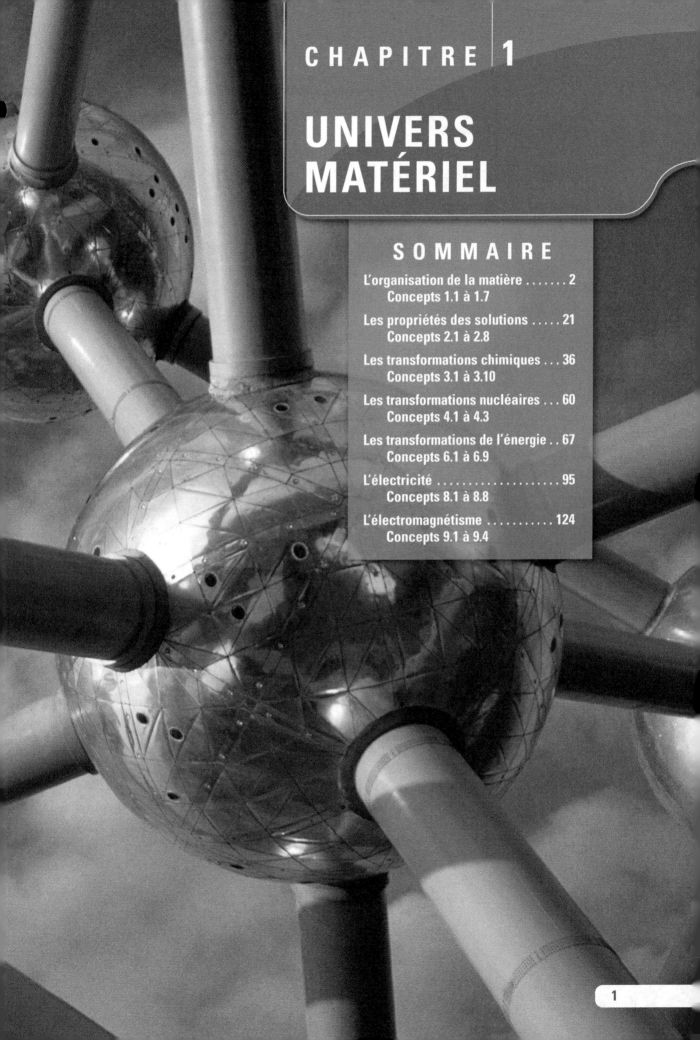

CHAPITRE 1

UNIVERS MATÉRIEL

 Manuel, p. 28 à 32

Le modèle atomique de Rutherford-Bohr

Des termes à CONNAÎTRE

1. Quel est le nom du modèle atomique qui représente l'atome comme un noyau formé de protons autour duquel gravitent des électrons dans un espace vide ?

   _____

   _____

2. Les électrons d'un atome ne circulent pas au hasard autour du noyau. Comme les planètes du système solaire, ils suivent des orbites précises. Comment se nomment ces orbites ?

   _____

   _____

3. **STE** Qu'est-ce que le numéro atomique (Z) d'un élément ?

   _____

   _____

4. **STE** Comment nomme-t-on la répartition des électrons d'un atome sur les différentes couches autour du noyau ?

   _____

   _____

Des concepts à COMPRENDRE

5. Voici des modèles atomiques qui ont précédé celui de Rutherford-Bohr (1913). Indiquez la date de conception (exacte ou approximative) de chaque modèle atomique et précisez qui en est l'auteur.

   a)   b)   c)   d)

   Date : _____   Date : _____   Date : _____   Date : _____

   _____   _____   _____   _____

   Auteur : _____   Auteur : _____   Auteur : _____   Auteur : _____

   _____   _____   _____   _____

6. *a)* Nommez les deux particules élémentaires présentes dans un atome selon le modèle proposé par Ernest Rutherford.

_____

b) Selon Rutherford, quelles particules le noyau contient-il et quelle est leur charge?

_____

c) Niels Bohr a perfectionné le modèle de Rutherford en apportant des précisions sur le mouvement des électrons. Expliquez de quelle façon les électrons circulent selon Bohr.

_____

_____

7. **STE** Pour chacun des éléments suivants du tableau périodique, indiquez le nombre de protons dans le noyau atomique.

a)

11
Na
sodium

_____

b)

1
H
hydrogène

_____

c)

80
Hg
mercure

_____

d)

8
O
oxygène

_____

e)
79
Au
or

_____

f)
35
Br
brome

_____

8. Le schéma suivant représente un atome de calcium (Ca).

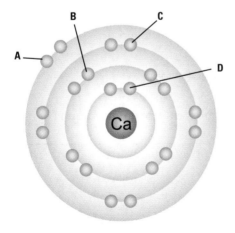

Quelle lettre désigne l'électron:

a) qui a le plus d'énergie? _____

b) qui a le moins d'énergie? _____

CONCEPT 1.2

Le modèle atomique simplifié et le neutron STE

Des termes à CONNAÎTRE

1. Selon le modèle atomique simplifié, quelles particules sont dans le noyau de l'atome et quelles particules gravitent autour du noyau ?

dans le noyau de l'atome : neutrons et protons
gravitent autour du noyau : électrons

2. Complétez le schéma à partir de la liste de mots suivante.

- Proton
- Neutron
- Électron

UM 1.2

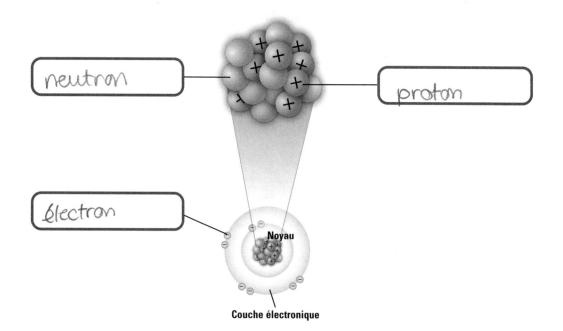

neutron

proton

électron

Noyau

Couche électronique

3. Comment se nomme l'ensemble des particules du noyau atomique ?

nucléons

Des concepts à COMPRENDRE

4. Quelle est la charge électrique des neutrons et à quoi servent-ils ?

Les neutrons sont des particules neutres (sans charge électric...

Ce sont les neutrons qui assurent la cohésion du noyau atomique.

5. Le tableau suivant présente les trois particules élémentaires de l'atome.

Les propriétés des protons, des neutrons et des électrons

Particule	Symbole	Charge	Masse (g)	Position dans l'atome
Proton	p^+	1^+	$1{,}672 \times 10^{-24}$	Dans le noyau
Neutron	n^0	0	$1{,}677 \times 10^{-24}$	Dans le noyau
Électron	e^-	1^-	$9{,}109 \times 10^{-28}$	Autour du noyau

a) Quelle particule a la plus grosse masse ?   _neutron_

b) Quelle particule a la plus petite masse ?   _électron_

c) Sur le modèle atomique simplifié, où se trouvent les particules les plus lourdes ?   _dans le noyau._

d) Quelle particule est sans charge électrique ?   _neutron_

6. Complétez les schémas ci-dessous en suivant le modèle ci-contre.

a)

Le potassium (K)
$Z = 19$
Configuration : 2, 8, 8, 1

b)

Le lithium (Li)
$Z = 3$
Configuration : 2, 1

c)

Le calcium (Ca)
$Z = 20$
Configuration : 2, 8, 8, 2

Des problèmes à RÉSOUDRE

7. Représentez un atome de sodium (Na) selon le modèle atomique simplifié en dessinant toutes ses particules. $Z = 11$.

CONCEPT 1.3

Manuel, p. 35

La notation de Lewis

Des termes à CONNAÎTRE

1. *a)* Quelle notation illustre un atome d'un élément à l'aide de points disposés autour de son symbole chimique?

_____

b) Dans cette notation, quels sont les seuls électrons représentés?

_____

UM 1.3

2. Comment se nomment les électrons situés sur le niveau d'énergie le plus élevé d'un atome?

_____

3. Sur le schéma suivant, inscrivez ce que les points représentent.

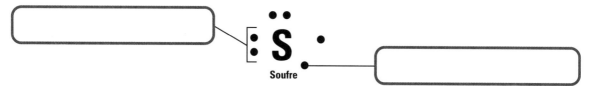

Soufre

Des concepts à COMPRENDRE

4. Représentez les éléments suivants selon la notation de Lewis.

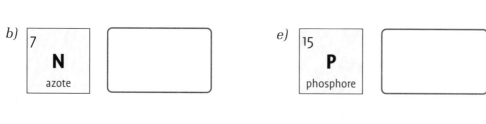

Élément	Notation de Lewis		Élément	Notation de Lewis
a) 3 **Li** lithium		*d)* 14 **Si** silicium		
b) 7 **N** azote		*e)* 15 **P** phosphore		
c) 12 **Mg** magnésium		*f)* 18 **Ar** argon		

CONCEPT 1.4

 Manuel, p. 36 à 44

Les familles et les périodes du tableau périodique

Des termes à CONNAÎTRE

1. *a)* À quoi sert la classification périodique?

   _____

   _____

   _____

   b) Qui l'a proposée à l'origine?

   _____

2. Dans le tableau périodique, comment les éléments sont-ils regroupés?

   _____

   _____

UM
1.4

3. Dans le tableau périodique, chaque élément est représenté par son symbole dans une case avec d'autres indications. Inscrivez à quoi correspond chacune des indications de l'élément suivant.

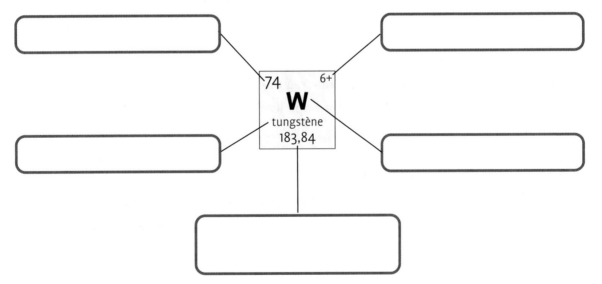

4. Nommez les trois grandes catégories d'éléments du tableau périodique.

   _____

   _____

   _____

5. *a)* En faisant un crochet dans la colonne appropriée, indiquez à quelle catégorie d'éléments du tableau périodique chaque énoncé suivant s'applique.

Énoncé	Catégories d'éléments		
	Métaux	Métalloïdes	Non-métaux
Ils forment la catégorie d'éléments la plus nombreuse du tableau périodique.			
Ils sont seulement huit dans leur catégorie.			
Ils sont ternes et cassants.			
Ils sont de bons conducteurs de chaleur.			
Ils occupent la portion de l'extrémité droite du tableau périodique.			
Ils occupent presque la totalité de la partie gauche du tableau périodique.			
Ils sont des accepteurs d'électrons.			
Ils sont de mauvais conducteurs de chaleur mais peuvent conduire l'électricité à divers degrés.			
Ils sont de bons conducteurs d'électricité.			
Ils sont dotés de propriétés intermédiaires entre celles des métaux et des non-métaux.			
Ils sont généralement de bons isolants.			
Ils sont généralement des donneurs d'électrons.			

b) Sur quelles propriétés peut-on se baser pour reconnaître les métalloïdes ?

_____

_____

_____

6. Complétez les énoncés suivants.

Dans le tableau périodique, une colonne regroupe les éléments selon leur

_____. Une rangée regroupe les éléments selon leur _____.

7. Qui suis-je ?

a) Groupe d'éléments qui présentent des propriétés chimiques et physiques similaires parce qu'ils possèdent le même nombre d'électrons de valence. _____

b) Numéro qui indique le nombre de couches électroniques contenues dans les éléments d'une même rangée. _____

8. Que regroupent les familles :

a) de la série A (familles 1, 2 et 13 à 18) ?

_____

b) de la série B (familles 3 à 12) ?

_____

UM
1.4

9. Indiquez le nom de l'ensemble dont il est question.

a) Ensemble des éléments de la famille I A. _____

b) Ensemble des éléments de la famille II A. _____

c) Ensemble des éléments de la famille VII A. _____

d) Ensemble des éléments de la famille VIII A. _____

10. Combien de couches électroniques compte un élément qui est dans la quatrième période du tableau périodique ? _____

Des concepts à COMPRENDRE

11. Combien d'électrons de valence possède un élément appartenant à chacune des familles chimiques suivantes ?

Famille chimique	Nombre d'électrons de valence
1 (ou I A)	
2 (ou II A)	
3 (ou III A)	
17 (ou VII A)	
18 (ou VIII A)	

UM 1.4

12. Représentez la configuration électronique de chacun des atomes suivants.

a) L'aluminium (Al)
Z = 13
Configuration :

_____

b) Le scandium (Sc)
Z = 21
Configuration :

_____

c) Le lithium (Li)
Z = 3
Configuration :

_____

d) Le fluor (F)
Z = 9
Configuration :

_____

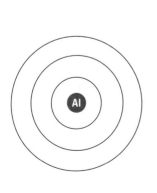

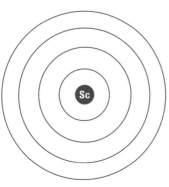

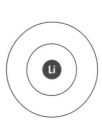

13. Indiquez si chacun des énoncés suivants est vrai ou faux. Rectifiez l'énoncé lorsqu'il est faux.

a) Les non-métaux sont presque tous de la même couleur.

_____

_____

_____

b) Les métaux sont tous solides à conditions ambiantes.

_____

_____

_____

c) Les non-métaux sont cassants.

_____

_____

_____

d) Il n'y a pas de non-métaux gazeux à conditions ambiantes.

_____

_____

_____

e) Les métaux sont généralement des donneurs d'électrons.

_____

_____

_____

f) Les non-métaux sont généralement des accepteurs d'électrons.

_____

_____

_____

g) Les métalloïdes sont de bons conducteurs d'électricité et de bons conducteurs thermiques.

_____

_____

_____

h) Les métaux occupent principalement la partie droite du tableau périodique.

_____

_____

_____

i) Les métalloïdes occupent une portion de la partie droite du tableau périodique.

```
┌─────────┐ _____
│         │ _____
└─────────┘ _____
```

j) Les non-métaux sont situés entre les métaux et les métalloïdes dans le tableau périodique.

```
┌─────────┐ _____
│         │ _____
└─────────┘ _____
```

k) Dans le tableau périodique, le numéro de période indique le nombre de couches électroniques des éléments d'une rangée.

```
┌─────────┐ _____
│         │ _____
└─────────┘ _____
```

l) Chaque famille chimique du tableau périodique regroupe des éléments ayant des propriétés similaires.

```
┌─────────┐ _____
│         │ _____
└─────────┘ _____
```

UM
1.4

m) Les gaz inertes ont une très grande réactivité.

```
┌─────────┐ _____
│         │ _____
└─────────┘ _____
```

14. *a)* À l'aide du tableau périodique, complétez le tableau suivant.

	Coordonnées	Symbole	Nom	Numéro atomique (Z)	Nombre d'électrons de valence	Catégorie
A.	Période 2, famille II A					
B.	Période 3, famille VI A					
C.	Période 2, famille VII A					
D.	Période 4, famille III B					
E.	Période 5, famille VI A					

b) Nommez la famille à laquelle appartient l'élément désigné par :

– la lettre A. _____

– la lettre C. _____

CONCEPT 1.5

Manuel, p. 45 à 47

La masse atomique relative et les isotopes STE

Des termes à CONNAÎTRE

1. Quelle unité de mesure et quel symbole utilise-t-on pour exprimer la masse atomique d'un élément ?

   _____

   _____

2. Complétez les énoncés suivants.

   a) L'unité de masse atomique correspond à _____ de la masse d'un atome de _____ .

   b) On se sert de la masse d'un atome de carbone comme valeur étalon à partir de laquelle on peut déduire la masse atomique des autres éléments. C'est pourquoi on parle de

   _____ .

   c) Les isotopes sont des atomes _____ dont le nombre de

   _____ est différent.

3. À quoi correspond le nombre de masse d'un atome ? Entourez la réponse.

   a) À la masse d'un proton.

   b) À la masse d'un électron.

   c) À la masse d'un neutron.

   d) À la masse d'un proton, d'un électron et d'un neutron.

   e) À la somme des protons et des neutrons.

4. À la masse de quelle particule correspond une unité de masse atomique (1 u) ?

   _____

   _____

Des concepts à COMPRENDRE

5. Qu'est-ce qui différencie les isotopes d'un même élément ? Entourez la bonne réponse.

   a) Le nombre d'électrons.

   b) Le nombre de protons.

   c) Le nombre de neutrons.

6. Le carbone (C) possède trois isotopes. Pour chacun des isotopes représentés ci-dessous, précisez le nombre de neutrons et le nombre de masse (A).

Isotope de carbone	Nombre de neutrons	Nombre de masse (A)

a) $^{12}_{6}\text{C}$ _____ _____

b) $^{13}_{6}\text{C}$ _____ _____

c) $^{14}_{6}\text{C}$ _____ _____

7. Les trois isotopes du carbone (C) ne sont pas présents en proportions égales dans nature. C'est pourquoi on doit, en pratique, calculer la moyenne des masses atomiques en tenant compte de leur abondance relative. Comment se nomme cette moyenne des masses atomiques relatives?

_____

8. *a)* Complétez le tableau suivant en inscrivant le nombre de protons, de neutrons et de nucléons de chaque élément.

Élément	Numéro atomique	Masse atomique moyenne (u), arrondie à l'unité près	Nombre de protons	Nombre de neutrons	Nombre de nucléons
Sodium (Na)	11	23			
Fluor (F)	9	19			
Argon (Ar)	18	40			
Potassium (K)	19	39			
Or (Au)	79	197			

b) Que remarquez-vous en comparant le nombre de nucléons et la masse atomique

moyenne arrondie? _____

9. Vrai ou faux?

a) Les isotopes d'un même élément ont le même symbole chimique.

b) Les isotopes d'un même élément ont le même numéro atomique.

c) Les isotopes d'un même élément ont la même masse atomique.

d) Les isotopes d'un même élément possèdent le même nombre de nucléons.

Vrai	Faux
☐	☐
☐	☐
☐	☐
☐	☐

10. Voici un élément du tableau périodique. Que représente le nombre 35,45 ? Entourez la réponse.

17	1−
Cl	
Chlore	
35,45	

a) La masse atomique relative.

b) Le nombre de masse (A).

c) La masse atomique moyenne.

Des problèmes à RÉSOUDRE

11. Les trois isotopes d'un élément imaginaire, symbolisé par Im, sont présents dans la nature selon les proportions suivantes :

• Im 40 : 50 %   • Im 41 : 30 %   • Im 43 : 10 %

Calculez la masse atomique moyenne de cet élément.

_____

_____

_____

_____

_____

UM 1.5

CONCEPT 1.6

 Manuel, p. 48 à 50

La périodicité des propriétés STE

Des termes à CONNAÎTRE

1. Reliez chacune des caractéristiques suivantes à sa description.

Caractéristique

Description

a) Électronégativité

1) Mesure de la force avec laquelle un élément attire des électrons des autres éléments lors de la formation de composés.

b) Énergie d'ionisation

2) Façon dont les propriétés physiques et chimiques des éléments se répètent de façon régulière d'une période à l'autre.

c) Rayon atomique

3) Énergie nécessaire pour arracher un électron à un atome.

d) Périodicité des propriétés

4) Distance entre le centre du noyau d'un atome et sa dernière couche électronique.

2. Voici un tableau périodique des éléments.

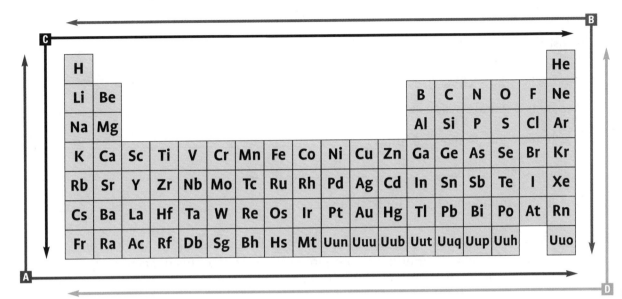

UM
1.6

Dans le sens de quelle flèche (A, B, C ou D) :

a) la masse atomique augmente-t-elle ? _____

b) le rayon atomique augmente-t-il ? _____

c) l'électronégativité augmente-t-elle ? _____

d) l'énergie d'ionisation augmente-t-elle ? _____

Des concepts à **COMPRENDRE**

3. Quelle famille chimique n'a aucune électronégativité ? Pourquoi ?

_____

_____

Utilisez le tableau périodique du numéro 2 pour réaliser les numéros 4 à 6.

4. Lequel des éléments du tableau périodique :

a) a la plus grande masse atomique ? _____

b) a la plus petite masse atomique ? _____

c) a le plus grand rayon atomique ? _____

d) a le plus petit rayon atomique ? _____

e) est le plus électronégatif ? _____

f) est le moins électronégatif ? _____

5. À quel atome d'un élément du tableau périodique :

   a) est-il le plus difficile d'arracher un électron ? _____

   b) est-il le plus facile d'en arracher un ? _____

6. Prenons le chlore (Cl) et le radium (Ra). Lequel de ces deux éléments :

   a) a la plus grande masse atomique ? _____

   b) a le plus grand rayon atomique ? _____

   c) est le plus électronégatif ? _____

   d) a la plus grande énergie d'ionisation ? _____

7. Le soufre et le magnésium sont dans la même période. Le soufre (S) a 16 électrons et le magnésium (Mg) en a 12. Expliquez pourquoi le soufre, qui a plus d'électrons que le magnésium, a un rayon atomique plus petit que le magnésium.

   _____

   _____

   _____

   _____

UM 1.6

8. Placez les éléments suivants par ordre décroissant de masse atomique, de grandeur de rayon atomique, d'électronégativité et d'énergie d'ionisation. Inscrivez seulement les symboles dans les cases.

   - Césium (Cs)
   - Chlore (Cl)
   - Cobalt (Co)

   a) Masse atomique   ☐ ▶ ☐ ▶ ☐

   b) Rayon atomique   ☐ ▶ ☐ ▶ ☐

   c) Électronégativité   ☐ ▶ ☐ ▶ ☐

   d) Énergie d'ionisation   ☐ ▶ ☐ ▶ ☐

9. Le rayon atomique donne une indication de la taille d'un atome. En utilisant le tableau périodique du numéro 2 (p. 15), classifiez les éléments suivants selon la taille de leur atome, du plus petit au plus gros.

   - Zinc (Zn)
   - Cobalt (Co)
   - Baryum (Ba)
   - Phosphore (P)
   - Néon (Ne)
   - Tungstène (W)

   _____

   _____

CONCEPT 1.7

 Manuel, p. 51 à 54

La notion de mole et le nombre d'Avogadro STE

Des termes à CONNAÎTRE

1. Qu'est-ce qu'une mole ?

_____

_____

2. Quelle est la valeur du nombre d'Avogadro ?

_____

3. Comment se nomme l'unité qui correspond à la masse d'une mole d'un élément ou d'un composé ?

_____

UM
1.7

Des concepts à COMPRENDRE

4. Si une mole de fer (Fe) contient $6{,}02 \times 10^{23}$ atomes, combien y aura-t-il d'atomes dans cinq moles ?

Réponse : _____

5. Combien y a-t-il de particules dans chacune des quantités suivantes ?

a) Une mole de soufre (S) : _____

b) Une mole de dioxygène (O_2) : _____

c) Une mole d'eau (H_2O) : _____

d) Deux moles de cuivre (Cu) ? _____

6. À partir de l'élément ci-contre, répondez aux questions suivantes.

12	2+
Mg	
magnésium	
24,31	

a) Quelle est la masse molaire (*M*) du magnésium (Mg) ?

_____

b) Quelle est la masse de trois moles de magnésium (Mg) ?

_____

c) Combien d'atomes y a-t-il dans trois moles de magnésium (Mg) ?

_____

Des problèmes à RÉSOUDRE

7. Si le salaire d'un hockeyeur professionnel est de $3,5 \times 10^{-18}$ moles de dollars, combien de dollars cela représente-t-il ?

> **Réponse :** _____

UM 1.7

8. Si un bracelet contient 0,02 mole d'argent (Ag), combien de grammes d'argent (Ag) cela représente-t-il ?

> **Réponse :** _____

9. À partir du nombre de moles et de la masse molaire, calculez le nombre de particules et la masse de chacune des substances suivantes.

Substance	Nombre de moles	Nombre de particules	Masse (g)
Mg	2		
MgO	2		
O_2	4		
H_2O	4		

10. À partir du nombre de particules et de la masse molaire, calculez le nombre de moles et la masse de chacune des substances suivantes.

Substance	Nombre de particules	Nombre de moles	Masse (g)
LiCl	$1,204 \times 10^{24}$		
CaO	$6,02 \times 10^{24}$		
F_2	$1,806 \times 10^{24}$		
NaOH	$2,408 \times 10^{24}$		
CO_2	$6,02 \times 10^{23}$		
$CaCl_2$	$3,02 \times 10^{24}$		

11. Si une quantité de $3,612 \times 10^{24}$ atomes d'un élément a une masse de 435,84 g, quel est cet élément ?

Réponse : _____

⬤ DÉFI

Voici quelques caractéristiques d'un élément du tableau périodique.

A. Cet élément assez rare est utilisé dans la confection des écrans de télévision plats à cristaux liquides (« écran LCD »).

B. Son prix est très élevé.

C. Il est plus électronégatif que le baryum (Ba).

D. Il possède trois électrons de valence.

E. Son rayon atomique est plus grand que celui du phosphore (P).

F. Il s'ionise plus facilement que l'argent (Ag).

G. Il a 18 électrons sur sa quatrième couche électronique.

H. Il a moins de couches électroniques que le thallium (Tl).

UM 1.7

À partir de ces caractéristiques, découvrez le nom de cet élément. Expliquez votre raisonnement.

Réponse: _____

CONCEPT 2.1

Manuel, p. 60 et 61

Les ions

Des termes à CONNAÎTRE

1. Qui suis-je ?

- Anions
- Ion polyatomique
- Cations
- Ions
- Ionisation
- Règle de l'octet

a) Atomes qui portent une charge électrique positive ou négative. _____

b) Processus au cours duquel un atome devient un ion. _____

c) Autre nom donné aux ions positifs. _____

d) Autre nom donné aux ions négatifs. _____

e) Nom donné à la tendance d'un atome à perdre ou à gagner des électrons afin d'acquérir la stabilité des gaz inertes. _____

f) **STE** Groupe d'atomes fortement liés entre eux et qui portent une charge électrique causée par un surplus ou un déficit d'électrons. _____

UM 2.1

2. **STE** Donnez le nom des ions polyatomiques suivants.

a) NH_4^+ _____

b) OH^- _____

c) NO_3^- _____

d) SO_4^{2-} _____

e) CO_3^{2-} _____

Des concepts à COMPRENDRE

3. Indiquez si chacun des énoncés suivants est vrai ou faux. Rectifiez l'énoncé lorsqu'il est faux.

a) Les éléments de la famille IA, les alcalins, ont tendance à gagner un électron et à former des ions +1.

_____
_____

b) Les éléments de la famille VIIA, les halogènes, ont tendance à accepter un électron et à former des ions −1.

c) Quand un atome neutre perd deux électrons, il devient un ion avec une charge de +2.

d) Quand un atome neutre gagne trois électrons, il devient un ion +5.

e) Les métaux sont généralement des accepteurs d'électrons.

f) Les métaux forment généralement des cations.

g) Les non-métaux forment généralement des ions négatifs.

h) Les non-métaux sont généralement des donneurs d'électrons.

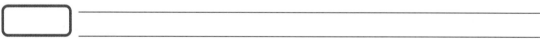

i) Certains éléments peuvent, selon le cas, être tantôt des anions, tantôt des cations.

4. Pour chacun des atomes ci-contre, indiquez dans le tableau :

a) s'il aura tendance à gagner ou à perdre des électrons ;

b) quel sera le nombre d'électrons gagnés ou perdus ;

c) quelle sera la charge électrique de l'ion formé par le gain ou la perte d'électrons.

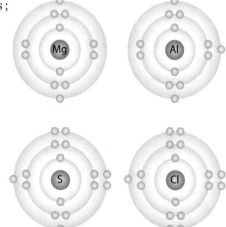

	Mg	Al	S	Cl
Gain ou perte d'électrons				
Nombre d'électrons perdus ou gagnés				
Charge électrique de l'ion				

5. Voici une partie du tableau périodique qui montre les électrons de certains éléments selon la notation de Lewis.

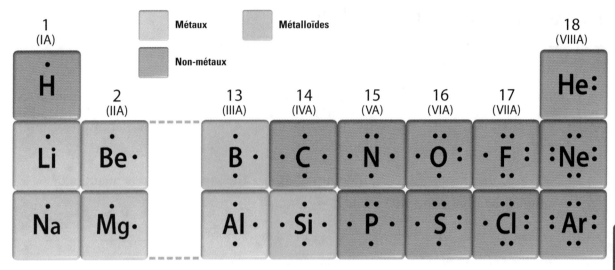

Dans le tableau ci-dessous, indiquez:

a) si les éléments nommés dans le tableau ci-dessous auront tendance à gagner ou à perdre des électrons;

b) quel sera le nombre d'électrons gagnés ou perdus;

c) quelle sera la charge ou la valence de l'ion formé.

Élément	Gain ou perte d'électrons	Nombre d'électrons	Charge ou valence
Sodium (Na)			
Aluminium (Al)			
Oxygène (O)			
Fluor (F)			
Néon (Ne)			

6. Le chlorure de potassium (KCl) est un composé ionique. En effet, lorsqu'on le dissout dans l'eau, les atomes de potassium (K) et de chlore (Cl) se séparent les uns des autres pour former des ions. Lors de cette dissociation, lequel des deux atomes perd un électron et devient un ion positif?

_____

CONCEPT 2.3

 Manuel, p. 68 à 72

La concentration et la dilution

Des termes à CONNAÎTRE

1. Complétez les phrases à l'aide de la liste de mots suivante.

- concentration
- soluté
- concentration molaire
- solution
- parties par million (ppm)

a) La _____ d'une solution est le rapport entre la quantité de soluté dissous et la quantité totale de solution.

b) La concentration en grammes par litre (g/L) est la quantité de _____ dissous par litre de _____.

c) La concentration en _____ est le rapport entre le nombre de parties de soluté par million de parties de solution, soit 1/1 000 000.

d) **STE** La _____ d'une solution est le nombre de moles de soluté dissous dans 1 L de solution.

Des concepts à COMPRENDRE

2. Voici un tableau où sont données des formules mathématiques permettant de calculer de diverses façons la concentration de solutions.

a) Laquelle de ces formules permet de calculer la concentration en g/L ? _____

b) Laquelle de ces formules permet de calculer la concentration en ppm ? _____

c) **STE** Laquelle de ces formules permet de calculer la concentration molaire d'une solution ? _____

Formules	
1	$C = \dfrac{n}{V}$
2	$C_{(solution)} = \dfrac{m_{(soluté)}}{V_{(solution)}}$
3	$C_{(ppm)} = \dfrac{m_{(soluté)}}{m_{(solution)}} \times 10^6$

UM 2.3

3. Calculez la concentration en grammes par litre (g/L) d'une boisson gazeuse qui contient 50 g de sucre pour un volume de 750 mL. Laissez des traces de votre démarche.

Réponse : _____

4. Calculez la concentration en grammes par litre (g/L) du sel dans un aquarium d'eau de mer qui contient 1 200 g de sel marin si l'aquarium a un volume de 30 L. Laissez des traces de votre démarche.

UM
2.3

Réponse : _____

5. Calculez la quantité d'acide sulfurique que l'on a dû mettre dans une batterie ayant une capacité de 3 L si on a obtenu une solution acide de 150 g/L. Laissez des traces de votre démarche.

Réponse : _____

6. Quel volume d'une solution ayant une concentration de 120 g/L de sel peut-on faire si on n'a que 200 g de sel ?

Réponse : _____

7. Dans un lac des Laurentides ayant une superficie de 0,5 km² et une profondeur moyenne de 3 m, le volume d'eau totalise 1,5 million de m³. À la suite d'un accident, un réservoir industriel situé en bordure du lac y déverse 3 000 kg de phosphate. Calculez la concentration du phosphate en ppm dans le lac si le phosphate s'y dissolvait entièrement.

Faites vos calculs en considérant que la masse du phosphate est négligeable dans la masse totale de la solution et que 1 m³ d'eau a une masse de 1 000 kg.

Réponse : _____

8. La norme québécoise en matière de concentration de plomb (Pb) dans l'eau potable est de 0,01 ppm. Vous recueillez un échantillon de 250 mL d'eau du robinet qui contient 0,05 mg de plomb. Cette quantité respecte-t-elle la norme québécoise ? Rappel : 1 L = 1 000 000 mg.

Réponse : _____

9. Un agriculteur doit arroser ses champs avec un insecticide écologique pour tuer les insectes qui dévorent ses cultures. Il mélange 200 g d'insecticide dans un réservoir contenant une masse de 4 000 kg d'eau.

a) Calculez la concentration en ppm de cette solution d'insecticide. Considérez la masse du soluté comme négligeable dans la masse de la solution.

Réponse: _____

UM
2.3

b) Quelle serait la concentration en ppm de la même solution d'insecticide si vous comptiez la masse de l'insecticide dans la masse de la solution?

Réponse: _____

c) Croyez-vous que le fait de ne pas compter la masse du soluté dans ce cas entraîne une différence importante? Justifiez votre réponse.

_____

Chapitre 1 Univers matériel **27**

10. Vous préparez une solution d'alcool (éthanol, C_2H_5OH) en mélangeant 10 mL d'alcool avec de l'eau jusqu'à l'obtention de 500 mL de solution. Ces 10 mL d'alcool ont une masse de 7,8 g.

a) Calculez la concentration de cette solution en grammes par litre (g/L).

Réponse : _____

b) Calculez la concentration en ppm.

Rappel : 1 mL d'eau = 1 g d'eau

Réponse : _____

c) **STE** Calculez la concentration molaire de la solution de 500 mL.

Réponse : _____

Nom: ______________________ Groupe: __________ Date: __________

11. **STE** Complétez le tableau ci-dessous et calculez la concentration molaire des solutions suivantes. Vous devrez vous référer au tableau périodique pour effectuer certains calculs.

Soluté	Masse molaire (g/mol)	Masse du soluté utilisé (g)	Nombre de moles	Volume de solution (L)	Concentration molaire (mol/L)
NaF	42	21	0,5	2	
CH_3OH	32	160		4	
AlF_3	84	21		0,125	
$CaCl_2$	111	22,2		0,5	
NaOH		2		0,1	

UM 2.3

CONCEPT 2.4

Manuel, p. 73 à 75

La conductibilité électrique et les électrolytes

Des termes à CONNAÎTRE

1. Complétez les phrases à l'aide de la liste de mots suivante.

   • conductibilité   • électrolytes   • non-électrolytes   • solutions électrolytiques

   a) Les _____ sont des substances qui, lorsqu'elles sont dissoutes dans l'eau, libèrent des ions. Ce faisant, ils permettent le passage du courant électrique.

   b) Les solutions qui permettent le passage de l'électricité sont appelées _____.

   c) La _____ électrique est une propriété physique qui correspond à la capacité d'une substance (solide, liquide ou gazeuse) de permettre le passage d'un courant électrique.

   d) Les substances qui ne forment pas d'ions et ne conduisent pas l'électricité sont des _____.

UM 2.4

Des concepts à COMPRENDRE

2. Indiquez si chacun des énoncés suivants est vrai ou faux. Rectifiez l'énoncé lorsqu'il est faux.

   a) Quand une substance libère des ions dans l'eau, on dit que cette substance est un non-électrolyte.

   _____ _____

   b) Si une substance forme des ions dans l'eau, elle conduira l'électricité.

   _____ _____

   c) Si une substance forme des ions dans l'eau, on dira qu'il s'agit d'une solution électrolytique.

   _____ _____

   d) Toutes les substances qui se dissolvent dans l'eau sont des électrolytes.

   _____ _____

e) Toutes les substances qui se dissolvent dans l'eau forment des ions.

_____
_____

f) Plus une solution électrolytique est concentrée, plus elle est conductrice.

_____
_____

3. L'eau pure n'est pas conductrice, car elle ne contient aucun électrolyte. L'eau douce du fleuve Saint-Laurent, à la hauteur de Montréal, en contient un tout petit peu. L'eau du fleuve près de la ville de Québec a un goût légèrement salé. À Gaspé, l'eau de mer est très salée.

Le graphique ci-contre illustre la conductibilité électrique et la salinité de l'eau dans les quatre cas mentionnés ci-dessus.

Quelle lettre du graphique représente chacun des cas mentionnés ?

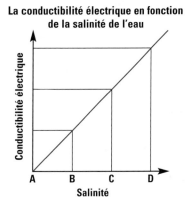

La conductibilité électrique en fonction de la salinité de l'eau

a) L'eau de Gaspé   _____

b) L'eau à la hauteur de Montréal _____

c) L'eau près de Québec   _____

d) L'eau pure   _____

UM
2.4

CONCEPT 2.5

 Manuel, p. 76 à 81

La dissociation électrolytique

Des termes à CONNAÎTRE

1. Vrai ou faux ?

		Vrai	Faux
a)	Un sel libère des ions positifs et négatifs lorsque dissous dans l'eau.	☐	☐
b)	Un sel est composé de deux non-métaux.	☐	☐
c)	C'est la polarité de l'eau qui est responsable de la dissociation électrolytique.	☐	☐
d)	**STE** Un électrolyte fort a un taux de dissociation peu élevé.	☐	☐
e)	**STE** Un électrolyte qui a un taux de dissociation de moins de 25 % peut être appelé un électrolyte faible.	☐	☐

2. Complétez les phrases à l'aide de la liste de mots suivante.

- dissociation électrolytique
- dissolution moléculaire
- électrolyte faible
- électrolyte fort
- ions
- non-électrolyte
- polarité

a) La _____ se produit lorsqu'un soluté se sépare en deux ions de charges opposées lors de sa dissolution dans un solvant.

b) Lorsqu'on dissout un soluté dans un solvant et que les molécules qui forment le soluté restent intactes dans le solvant, il s'agit d'une _____.

c) C'est la _____ des molécules d'eau qui rend possible la dissociation électrolytique.

d) Un _____ ne se dissocie pas en ions.

e) **STE** La force des électrolytes correspond au taux de dissociation électrolytique du soluté en _____.

f) **STE** Un _____ aura un taux de dissociation très élevé, soit près de 100 %.

g) **STE** Un _____ aura un taux de dissociation électrolytique inférieur à 25 %.

3. Pour chaque énoncé, indiquez s'il s'agit d'un acide ou d'une base.

a) Je libère des ions OH^- lorsque je suis dissous dans l'eau. _____

b) Je réagis chimiquement avec les métaux. _____

c) Je peux neutraliser les bases. _____

d) Je fais bleuir le papier tournesol. _____

e) Je libère des ions H^+ lorsque je suis dissous dans l'eau. _____

f) Je peux neutraliser un acide. _____

g) Je fais rougir le papier tournesol. _____

4. Dans l'illustration ci-dessous, indiquez par les signes + et − les dipôles positif et négatif de la molécule d'eau.

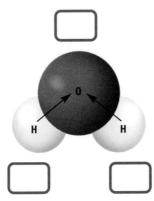

5. L'illustration suivante montre la dissociation électrolytique du NaCl. Placez les symboles Na et Cl à l'endroit approprié.

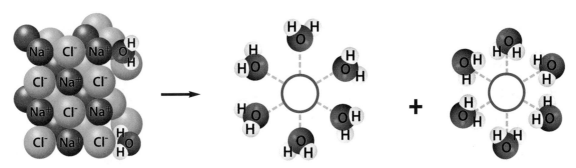

UM
2.5

Des concepts à COMPRENDRE

6. **STE** La figure ci-dessous illustre un montage expérimental utilisé pour observer la force d'un électrolyte. Lors de cette expérience, on compare quatre solutions dans lesquelles différents solutés sont en concentration égale. Les ampoules A, B, C et D illustrent les résultats.

a) Classez les résultats dans l'ordre croissant de conductibilité électrolytique.

_____

b) Quel résultat pourrait signaler un non-électrolyte?

_____

c) Quel résultat pourrait signaler un électrolyte fort?

_____

d) Quel résultat pourrait signaler un électrolyte faible?

_____

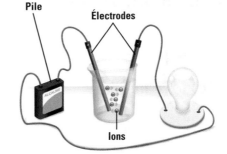

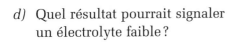

A   B   C   D

7. Complétez les équations de dissociation électrolytique suivantes.

a) $KCl_{(s)} \rightarrow$ _____

b) $CaCl_{2(s)} \rightarrow$ _____

c) $NaOH_{(s)} \rightarrow$ _____

d) $HF_{(g)} \rightarrow$ _____

e) $CaSO_{4(s)} \rightarrow$ _____

8. Observez les équations suivantes et indiquez s'il s'agit d'un acide, d'une base ou d'un sel.

a) $KOH_{(s)} \rightarrow K^+_{(aq)} + OH^-_{(aq)}$ _____

b) $SrSO_{4(s)} \rightarrow Sr^{+2}_{(aq)} + SO_4^{-2}_{(aq)}$ _____

c) $HCl_{(g)} \rightarrow H^+_{(aq)} + Cl^-_{(aq)}$ _____

d) $H_2SO_{4(l)} \rightarrow 2H^+_{(aq)} + SO_4^{-2}_{(aq)}$ _____

e) $Ca(OH)_{2(s)} \rightarrow Ca^{+2}_{(aq)} + 2\,OH^-_{(aq)}$ _____

f) $CaCl_{2(s)} \rightarrow Ca^{+2}_{(aq)} + 2Cl^-_{(aq)}$ _____

UM 2.5

CONCEPT 2.6

 Manuel, p. 82

L'échelle pH

1. À quoi sert l'échelle pH ?

_____

2. Vrai ou faux ?

	Vrai	Faux

a) L'échelle pH a des valeurs allant de 0 à 7.   ☐ ☐

b) Les solutions dont le pH est inférieur à 7 sont acides.   ☐ ☐

c) Les solutions dont le pH est supérieur à 7 sont basiques.   ☐ ☐

Des concepts à COMPRENDRE

3. Complétez les énoncés suivants.

   a) Une solution ayant un pH de 3 est _____ fois plus acide qu'une solution dont le pH est de 5.

   b) La concentration en ions H^+ d'une solution ayant un pH de 7 est de _____ mol/L.

   c) Un acide fort aura un pH de _____.

Les questions 4, 5 et 6 se rapportent à la manipulation ci-dessous.

À l'aide d'un indicateur, on a mesuré le pH de cinq solutions et on a obtenu les résultats suivants.

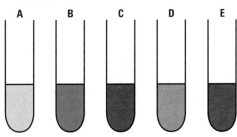

Indicateur de pH

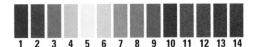

4. Quel est le pH de chacune des solutions ?

   Solution A : _____

   Solution B : _____

   Solution C : _____

   Solution D : _____

   Solution E : _____

5. Lesquelles de ces solutions sont acides ? _____

6. Quelle est la concentration en ions H^+ de chaque solution ?

   Solution A : _____

   Solution B : _____

   Solution C : _____

   Solution D : _____

   Solution E : _____

CONCEPT **3.1**

 Manuel, p. 89 et 90

La loi de la conservation de la masse

Des termes à **CONNAÎTRE**

1. Identifiez les différents éléments de l'équation chimique ci-dessous à l'aide des termes suivants :

- • Coefficient
- • Indice du nombre d'atomes
- • État
- • Symbole chimique
- • Formule chimique

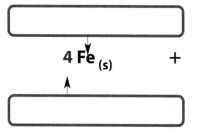
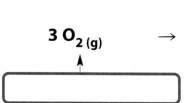
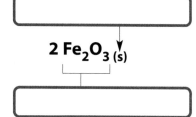

$$4 \, Fe_{(s)} \quad + \quad 3 \, O_{2 \, (g)} \quad \rightarrow \quad 2 \, Fe_2O_{3 \, (s)}$$

2. Dans l'équation de la question 1 :

a) nommez le ou les réactifs. _____

b) nommez le ou les produits. _____

3. Complétez la phrase suivante.

Selon la loi de la conservation de la masse, dans une transformation chimique, la masse totale des _____ est toujours égale à la masse totale des _____.

Des concepts à **COMPRENDRE**

4. Indiquez si chacun des énoncés suivants est vrai ou faux. Rectifiez l'énoncé lorsqu'il est faux.

a) Il n'y a aucune exception au principe de la conservation de la masse.

☐ _____
_____

b) Dans une équation chimique, la masse totale des produits est supérieure à la masse totale des réactifs.

☐ _____
_____

UM 3.1

c) Dans une équation chimique, il y a plus d'atomes dans les réactifs que dans les produits.

d) Dans une équation chimique, les produits sont formés uniquement par les atomes provenant des réactifs.

Des problèmes à RÉSOUDRE

5. Soit l'équation chimique suivante :

$$HCl \ + \ NaOH \ \rightarrow \ NaCl \ + \ H_2O$$

a) Combien y a-t-il d'atomes d'hydrogène du côté des réactifs ? _____

b) Combien y a-t-il d'atomes d'hydrogène du côté des produits ? _____

c) Combien y a-t-il d'atomes de chlore du côté des réactifs ? _____

d) Combien y a-t-il d'atomes de chlore du côté des produits ? _____

e) Combien y a-t-il d'atomes de sodium du côté des réactifs ? _____

f) Combien y a-t-il d'atomes de sodium du côté des produits ? _____

g) Combien y a-t-il d'atomes d'oxygène du côté des réactifs ? _____

h) Combien y a-t-il d'atomes d'oxygène du côté des produits ? _____

UM
3.1

6. Soit l'équation chimique suivante :

$$CH_4 \ + \ 2\,O_2 \ \rightarrow \ CO_2 \ + \ 2\,H_2O$$

a) Combien y a-t-il d'atomes d'hydrogène du côté des réactifs ? _____

b) Combien y a-t-il d'atomes d'hydrogène du côté des produits ? _____

c) Combien y a-t-il d'atomes de carbone du côté des réactifs ? _____

d) Combien y a-t-il d'atomes de carbone du côté des produits ? _____

e) Combien y a-t-il d'atomes d'oxygène du côté des réactifs ? _____

f) Combien y a-t-il d'atomes d'oxygène du côté des produits ? _____

7. Dans chacune des équations chimiques ci-dessous :

- calculez la masse de chacun des réactifs et de chacun des produits ;
- calculez la masse totale des réactifs et des produits.

a)
$$CH_4 + 2\,O_2 \rightarrow CO_2 + 2\,H_2O$$

- Masse de chacun : _____
- Masse totale : _____

b)
$$4\,Al + 3\,O_2 \rightarrow 2\,Al_2O_3$$

- Masse de chacun : _____
- Masse totale : _____

c)
$$C_6H_{12}O_6 \rightarrow 2\,CO_2 + 2\,C_2H_5OH$$

- Masse de chacun : _____
- Masse totale : _____

UM 3.1

8. Une molécule d'eau se décompose selon l'équation suivante.

$$2\,H_2O \rightarrow 2\,H_2 + O_2$$

Calculez la masse de dihydrogène que l'on peut obtenir à partir de 75 g d'eau, en sachant qu'on produit ainsi 66,7 g de dioxygène.

Réponse : _____

CONCEPT **3.2**

Manuel, p. 91 et 92

Le balancement d'équations chimiques

Des termes à **CONNAÎTRE**

1. Complétez la phrase suivante.

Le balancement d'équations chimiques consiste à ajouter des coefficients devant la

_____ des _____ et des _____

afin de respecter la loi de la conservation de la masse.

2. Comment appelle-t-on une équation chimique qui présente les réactifs et les produits d'une transformation, mais qui ne tient pas compte de la loi de la conservation de la masse ?

_____

3. Comment appelle-t-on une équation chimique qui respecte la loi de la conservation de la masse ?

_____

UM
3.2

Des concepts à **COMPRENDRE**

4. Indiquez si chacun des énoncés suivants est vrai ou faux. Rectifiez l'énoncé lorsqu'il est faux.

a) Une équation squelette ne contient pas de coefficients.

_____

b) Une équation qui présente les réactifs et les produits d'une transformation chimique et qui tient compte de la loi de la conservation de la masse est une équation squelette.

_____

c) Dans une équation chimique, les chiffres placés à gauche des symboles sont appelés « indices ».

_____

d) Une équation squelette n'est jamais balancée.

_____

5. Il faut suivre certaines règles pour balancer une équation. Parmi les phrases suivantes, lesquelles s'appliquent au balancement des équations chimiques ? Entourez les bonnes réponses.

   a) On ne peut changer que les coefficients des molécules.

   b) On peut changer les indices d'un atome.

   c) Les coefficients doivent être des nombres entiers.

   d) Les coefficients doivent être le plus grand possible.

   e) Les coefficients doivent être réduits à la plus petite valeur possible.

   f) Les coefficients qui sont des fractions sont acceptables.

   g) Dans l'équation balancée, le nombre de molécules doit être le même de chaque côté.

   h) Dans l'équation balancée, le nombre d'atomes de chaque élément doit être le même de chaque côté.

   UM 3.2

   i) Il n'est pas nécessaire d'écrire le coefficient lorsque sa valeur est égale à 1.

Des problèmes à RÉSOUDRE

6. Balancez les équations suivantes.

   a) $H_2 + O_2 \rightarrow H_2O$
   _____

   b) $H_2 + Cl_2 \rightarrow HCl$
   _____

   c) $HgO \rightarrow Hg + O_2$
   _____

   d) $KClO_3 \rightarrow KCL + O_2$
   _____

   e) $C_2H_2 + O_2 \rightarrow CO_2 + H_2O$
   _____

   f) $C_2H_5OH + O_2 \rightarrow CO_2 + H_2O$
   _____

   g) $Fe_2O_3 + C \rightarrow Fe + CO$
   _____

   h) $Al + FeO \rightarrow Al_2O_3 + Fe$
   _____

   i) $SO_2 + H_2S \rightarrow S + H_2O$
   _____

   j) $C + O_2 \rightarrow CO_2$
   _____

CONCEPT 3.3

Manuel, p. 93 à 95

La stœchiométrie STE

Des termes à CONNAÎTRE

1. Qu'est ce que la stœchiométrie ?

_____

_____

_____

2. Comment appelle-t-on les rapports de proportions entre les moles des réactifs et les moles des produits dans une équation chimique balancée ? Entourez la bonne réponse.

UM
3.3

a) Rapports massiques

c) Rapports proportionnels

b) Rapports molaires

d) Rapports réactifs

3. Lesquelles des affirmations suivantes sont justes ? Entourez les bonnes réponses.

Les calculs stœchiométriques :

a) permettent de déterminer la quantité nécessaire d'un réactif dans une réaction.

b) permettent de prévoir la quantité de produit obtenu à la suite d'une réaction.

c) permettent de connaître la nature des produits qui résulte d'une réaction chimique.

Des concepts à COMPRENDRE

4. Indiquez si chacun des énoncés suivants est vrai ou faux. Rectifiez l'énoncé lorsqu'il est faux.

a) On peut toujours faire des calculs stœchiométriques avec une équation squelette.

_____

_____

b) Il faut toujours utiliser une équation balancée pour faire des calculs stœchiométriques.

_____

_____

c) Les calculs stœchiométriques permettent de calculer les quantités de réactifs à utiliser dans une réaction chimique.

⬚ _____

d) Les calculs stœchiométriques permettent de calculer les quantités de produits qui résultent d'une réaction chimique.

⬚ _____

e) Les proportions stœchiométriques varient selon qu'on considère une équation à l'échelle des molécules ou à l'échelle des moles de molécules.

⬚ _____

UM 3.3 Des problèmes à **RÉSOUDRE**

5. Calculez le nombre de moles d'oxyde de mercure (HgO) produit par la réaction de sept moles de dioxygène avec une quantité suffisante de mercure (Hg), si la réaction est représentée par l'équation suivante.

$$Hg + O_2 \rightarrow HgO$$

Laissez des traces de votre démarche.

Réponse : _____

6. La synthèse de l'ammoniac (NH_3) se fait lorsque le diazote (N_2) réagit avec du dihydrogène (H_2) selon l'équation suivante.

$$N_2 \;+\; H_2 \;\rightarrow\; NH_3$$

Quelle masse de diazote (N_2) réagira avec 24 g de dihydrogène (H_2) ? Laissez des traces de votre démarche.

Réponse : _____

7. La synthèse du méthane (CH_4) se fait lorsque le carbone (C) réagit avec le dihydrogène (H_2). Calculez la masse de méthane produite si 80 g de dihydrogène réagissent avec une quantité suffisante de carbone selon l'équation suivante.

$$C \;+\; H_2 \;\rightarrow\; CH_4$$

Laissez des traces de votre démarche.

Réponse : _____

8. Les tableaux ci-dessous présentent les équations squelettes de trois réactions chimiques. Complétez-les.

a)

	Réactifs				Produits		
Équation squelette	C_2H_2	+	O_2	→	CO_2	+	H_2O
Équation balancée		+		→		+	
Nombre de moles de chacun des réactifs et des produits							
Nombre total de moles des réactifs et des produits							
Masse de chacun des réactifs et des produits		+		=		+	
Masse totale des réactifs et des produits				=			

b)

	Réactifs				Produits		
Équation squelette	SO_2	+	H_2S	→	S	+	H_2O
Équation balancée		+		→		+	
Nombre de moles de chacun des réactifs et des produits							
Nombre total de moles des réactifs et des produits							
Masse de chacun des réactifs et des produits		+		=		+	
Masse totale des réactifs et des produits				=			

c)

	Réactifs				Produits		
Équation squelette	Al	+	FeO	→	Al_2O_3	+	Fe
Équation balancée		+		→		+	
Nombre de moles de chacun des réactifs et des produits							
Nombre total de moles des réactifs et des produits							
Masse de chacun des réactifs et des produits		+		=		+	
Masse totale des réactifs et des produits				=			

CONCEPT **3.4**

 Manuel, p. 96 à 98

La nature de la liaison STE

Des termes à CONNAÎTRE

1. Complétez les phrases à l'aide des termes suivants.

- L'électronégativité
- Un composé ionique
- Une liaison chimique
- Une liaison covalente
- Une liaison ionique

a) _____ correspond au transfert ou au partage d'électrons entre deux atomes, ce qui produit la formation d'un composé.

b) _____ se produit lorsqu'il y a un transfert d'électrons d'un atome à un autre.

c) _____ se produit lorsqu'il y a partage d'électrons entre deux atomes.

d) _____ d'un élément représente sa capacité d'attirer les électrons lors d'une liaison chimique.

e) _____ est le produit formé par une liaison ionique.

UM 3.4

Des concepts à COMPRENDRE

2. Classez les éléments A, B, C, D et E du tableau périodique par ordre d'électronégativité croissante.

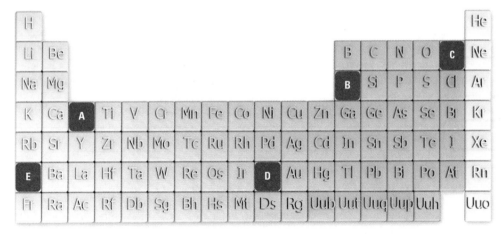

3. Indiquez si chacun des énoncés suivants est vrai ou faux. Rectifiez l'énoncé lorsqu'il est faux.

a) Un atome recherche la stabilité en remplissant complètement sa couche périphérique d'électrons.

⬜ _____

b) Tous les atomes ont tendance à céder des électrons pour remplir leur couche électronique périphérique.

⬜ _____

c) Les atomes ayant six ou sept électrons sur leur couche électronique périphérique ont tendance à céder des électrons.

⬜ _____

d) Les atomes ayant un ou deux électrons sur leur couche électronique périphérique ont tendance à attirer des électrons.

⬜ _____

e) Plus un corps est électronégatif, plus il a tendance à attirer des électrons.

⬜ _____

f) Les métaux sont généralement les éléments les plus électronégatifs.

⬜ _____

g) Les éléments situés dans le haut et du côté droit du tableau périodique sont les moins électronégatifs.

⬜ _____

h) Les éléments situés dans le bas et du côté gauche du tableau sont de bons donneurs d'électrons.

⬜ _____

UM
3.4

i) Les atomes qui donnent des électrons deviennent des ions négatifs.

[ ] _____

j) Les ions positifs proviennent d'atomes ayant donné des électrons.

[ ] _____
_____

k) Dans une liaison covalente, les électrons des atomes ne sont pas cédés, ils sont partagés.

[ ] _____

l) Dans une liaison covalente, il ne peut y avoir qu'une seule paire d'électrons partagée.

[ ] _____
_____

m) Une molécule peut être formée par plus d'une liaison covalente.

[ ] _____
_____

UM 3.4

4. Parmi les figures suivantes, indiquez lesquelles illustrent des composés ioniques et lesquelles illustrent des composés covalents.

A

B

C
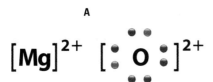

D
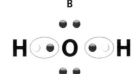

a) Composés ioniques : _____

b) Composés covalents : _____

 Manuel, p. 99 à 101

Les règles de nomenclature et d'écriture STE

Des termes à CONNAÎTRE

1. Complétez les phrases suivantes.

   a) Les règles _____ permettent de nommer les composés chimiques et de les distinguer entre eux.

   b) Les règles _____ permettent d'écrire les formules des composés chimiques selon des conventions établies.

UM 3.5

Des concepts à COMPRENDRE

2. Indiquez si chacun des énoncés suivants est vrai ou faux. Rectifiez l'énoncé lorsqu'il est faux.

   a) Le symbole de l'élément de gauche dans la formule chimique d'un composé est celui que l'on nomme en premier.

   _____   _____
   _____

   b) Le symbole de l'élément de droite dans la formule chimique d'un composé peut être un ion polyatomique.

   _____   _____
   _____

   c) Le symbole de l'élément de gauche dans la formule chimique d'un composé est celui qui est situé le plus à droite dans le tableau périodique.

   _____   _____
   _____

   d) Pour écrire la formule exacte d'un composé avec les indices des atomes de chacun des éléments, il faut tenir compte des électrons de valence de chacun.

   _____   _____
   _____

   e) Pour nommer un composé chimique selon les règles de nomenclature, on nomme d'abord l'élément qui est à gauche dans la formule chimique.

   _____   _____
   _____

f) Pour nommer un composé chimique selon les règles de nomenclature, on ajoute le suffixe « ure » en nommant l'élément de gauche dans la formule.

☐ _____
_____

g) Pour nommer un composé chimique selon les règles de nomenclature, on nomme l'élément de droite précédé de la préposition «de».

☐ _____
_____

h) Pour nommer un composé chimique selon les règles de nomenclature, on ajoute le préfixe « di », « tri », « tétra », etc., selon qu'il y a deux, trois ou quatre atomes d'un même élément dans la molécule.

☐ _____
_____

i) Pour nommer un composé chimique selon les règles de nomenclature, on n'ajoute pas le suffixe « ure » lorsqu'on nomme un ion polyatomique ; on utilise simplement le nom de l'ion.

☐ _____
_____

**UM
3.5**

j) De façon générale, le premier élément de la formule chimique d'un composé est celui qui est le plus à gauche dans le tableau périodique.

☐ _____
_____

Des problèmes à RÉSOUDRE

3. À l'aide des règles de nomenclature et du tableau ci-contre, nommez les composés suivants.

Les ions polyatomiques courants	
Formule	**Nom de l'ion**
Cations polyatomiques	
H_3O^+	Hydronium
NH_4^+	Ammonium
Anions polyatomiques	
OH^-	Hydroxyde
NO_3^-	Nitrate
HCO_3^-	Hydrogénocarbonate
SO_4^{2-}	Sulfate
PO_4^{3-}	Phosphate
CO_3^{2-}	Carbonate

a) KCl _____

b) $CaCl_2$ _____

c) NO_2 _____

d) N_2O_3 _____

e) KNO_3 _____

f) $NaOH$ _____

g) NH_4F _____

h) Na_2S _____

4. Écrivez la formule chimique des composés suivants.

a) Chlorure de lithium _____

b) Trichlorure d'aluminium _____

c) Sulfure de dipotassium _____

d) Hydroxyde de sodium _____

e) Bromure d'ammonium _____

f) Tétrachlorure de carbone _____

g) Carbonate de dipotassium _____

h) Trioxyde de dialuminium _____

i) Eau _____

j) Dinitrate de calcium _____

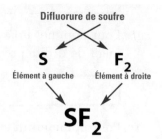

L'écriture de la formule chimique du diflorure de soufre

Difluorure de soufre

S   F$_2$

Élément à gauche   Élément à droite

SF$_2$

UM 3.5

5. Complétez le tableau ci-dessous en tenant compte des électrons de valence de chacun des éléments.

Élément 1	Élément 2	Formule chimique	Nom du composé
Ca^{+2}	F^{-1}		
Na^{+1}	S^{-2}		
Al^{+3}	S^{-2}		
K^{+1}	OH^{-1}		
NH_4^{+1}	S^{-2}		

CONCEPT 3.6

 Manuel, p. 102 et 103

La neutralisation acidobasique

Des termes à CONNAÎTRE

1. Comment nomme-t-on la transformation chimique au cours de laquelle un acide et une base réagissent ensemble pour former un sel et de l'eau ?

_____

Des concepts à COMPRENDRE

2. Indiquez si chacun des énoncés suivants est vrai ou faux. Rectifiez l'énoncé lorsqu'il est faux.

a) Dans une réaction de neutralisation acidobasique, l'un des réactifs de départ est une solution acide.

☐ _____
_____

b) Dans une réaction de neutralisation acidobasique, l'un des réactifs de départ est une solution basique.

☐ _____
_____

c) Une réaction de neutralisation acidobasique produit toujours un sel.

☐ _____
_____

d) Une réaction de neutralisation acidobasique produit toujours de l'eau.

☐ _____
_____

UM 3.6

e) Pour que la solution produite par une réaction de neutralisation acidobasique soit neutre (pH de 7), il faut qu'il y ait plus d'ions acides que d'ions basiques.

☐ _____
_____

f) Si une solution contient un surplus d'ions acides, son pH sera plus grand que 7, c'est-à-dire basique.

☐ _____
_____

g) Une réaction de neutralisation acidobasique se fait toujours en milieu aqueux.

☐ _____
_____

Des problèmes à RÉSOUDRE

3. Parmi les réactions ci-dessous, lesquelles sont des réactions de neutralisation acidobasique ? Entourez les bonnes réponses.

a) $2\ HCl_{(aq)} + 2\ Na_{(s)} \rightarrow 2\ NaCl_{(aq)} + H_{2(g)}$

b) $HCl_{(aq)} + NaOH_{(aq)} \rightarrow H_2O_{(l)} + NaCl_{(aq)}$

c) $H_2S_{(aq)} + KOH_{(aq)} \rightarrow H_2O + K_2S_{(aq)}$

d) $Na_{(s)} + H_2O_{(l)} \rightarrow NaOH_{(aq)} + H_{2(g)}$

4. Complétez la réaction de neutralisation acidobasique suivante. Nommez ensuite l'acide qui a été utilisé.

2 _____ $_{(aq)}$ + $Ca(OH)_2$ $_{(aq)}$ → $CaBr_2$ $_{(aq)}$ + 2 H_2O $_{(l)}$ _____

5. Complétez la réaction de neutralisation acidobasique suivante. Nommez ensuite la base qui a été utilisée.

HCl $_{(aq)}$ + _____ $_{(aq)}$ → KCl $_{(aq)}$ + H_2O $_{(l)}$ _____

6. Quel sel sera formé par la réaction de neutralisation acidobasique suivante ?

3 HF + $Al(OH)_3$ → 3 H_2O $_{(l)}$ + _____ $_{(aq)}$ _____

UM 3.6

CONCEPT 3.8

 Manuel, p. 107 et 108

Les réactions endothermiques et exothermiques STE

Des termes à CONNAÎTRE

1. Complétez les phrases suivantes.

a) Les transformations chimiques qui absorbent de l'énergie sont appelées des réactions

_____ .

b) Les transformations chimiques qui dégagent de l'énergie sont appelées des réactions

_____ .

Des concepts à COMPRENDRE

2. Indiquez si chacun des énoncés suivants est vrai ou faux. Rectifiez l'énoncé lorsqu'il est faux.

a) Certaines réactions chimiques absorbent ou dégagent de l'énergie alors que d'autres n'échangent aucune énergie avec leur milieu.

b) La photosynthèse est une réaction exothermique.

c) Il y a absorption d'énergie dans une réaction si le mot «énergie» est du côté des réactifs dans son équation.

d) Les produits d'une réaction endothermique contiennent moins d'énergie que les réactifs.

e) Une réaction exothermique absorbe de l'énergie.

f) Certaines réactions exothermiques doivent être amorcées pour se produire, c'est-à-dire qu'elles nécessitent un léger apport d'énergie.

g) L'énergie dégagée par une réaction exothermique est absorbée par le milieu.

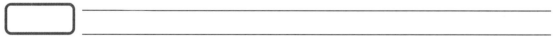

UM
3.8

h) Les produits d'une réaction exothermique contiennent toujours moins d'énergie que les réactifs de cette réaction.

i) La respiration est la réaction inverse de la photosynthèse.

3. Indiquez si les réactions chimiques suivantes sont endothermiques ou exothermiques.

a) Réactif A + Réactif B + Énergie → Produit C + Produit D _____

b) $2 H_{2 (g)} + C_{(s)} \rightarrow CH_{4 (g)} + 75$ kJ   _____

c) $H_{2 (g)} + I_{2 (g)} + 173$ kJ $\rightarrow H_2I_{2 (g)}$ _____

d) Réactif A + Réactif B → Produit C + Produit D + Énergie _____

4. La combustion du bois dans un foyer est un phénomène chimique courant.

a) Cette réaction est-elle endothermique ou exothermique? Justifiez votre réponse.

_____

_____

b) Cette réaction a-t-elle besoin d'être amorcée ? Si oui, comment ?

_____

_____

_____

_____

Des problèmes à RÉSOUDRE

5. Voici l'équation de la photosynthèse.

$$6\ CO_{2\ (g)} \quad + \quad 6\ H_2O_{\ (l)} \quad + \quad 2\ 803\ kJ \quad \rightarrow \quad C_6H_{12}O_{6\ (s)} \quad + \quad 6\ O_{2\ (g)}$$

Quelle quantité d'énergie sera nécessaire à la synthèse de 1 kg de glucose ($C_6H_{12}O_6$) ?

UM 3.8

Réponse : _____

6. Voici l'équation de la combustion du méthane.

$$CH_{4\ (g)} \quad + \quad O_{2\ (g)} \quad \rightarrow \quad CO_{2\ (g)} \quad + \quad 2\ H_2O_{\ (g)} \quad + \quad 803\ kJ$$

Quelle quantité d'énergie sera dégagée par la combustion de 1 000 g de méthane (CH_4) ?

Réponse : _____

7. Voici l'équation de la respiration cellulaire.

$$C_6H_{12}O_{6\,(s)} \;+\; 6\,O_{2\,(g)} \;\rightarrow\; 6\,CO_{2\,(g)} \;+\; 6\,H_2O_{(l)} \;+\; 2\,803\ kJ$$

Durant une course, un coureur dépense 1 200 kJ/h. Quelle masse de dioxygène sera consommée par ce coureur durant une course de 2 h ?

Réponse : _____

UM 3.8

CONCEPT 3.9

 Manuel, p. 109 à 111

L'oxydation et la combustion

Des termes à CONNAÎTRE

1. Complétez les phrases à l'aide des termes suivants.

- La combustion
- Le point d'ignition
- Le comburant
- L'oxydation
- Le combustible

a) _____ est une réaction d'oxydation très courante qui dégage de l'énergie.

b) _____ est la substance qui brûle lors d'une combustion.

c) _____ est la substance qui opère la combustion du combustible en réagissant avec lui.

d) _____ est la température qui doit être atteinte par un combustible pour que la réaction s'amorce.

e) **STE** _____ est une transformation chimique au cours de laquelle le dioxygène (O_2) ou une substance aux propriétés semblables se combine avec un réactif pour former un oxyde.

2. Pour qu'il y ait combustion, trois facteurs sont nécessaires. Le schéma ci-contre illustre ce phénomène. Indiquez sur ce schéma les trois facteurs indispensables à la combustion.

COMBUSTION

| UM 3.9 |

Des concepts à COMPRENDRE

3. Indiquez si chacun des énoncés suivants est vrai ou faux. Rectifiez l'énoncé lorsqu'il est faux.

a) Les réactions de combustion sont toutes des réactions d'oxydation.

_____
_____

b) Une combustion lente produit une flamme.

_____
_____

c) La corrosion du fer et la respiration cellulaire sont deux phénomènes de combustion lente.

_____
_____

d) Les phénomènes de combustion spontanée se produisent à température ambiante.

_____
_____

e) **STE** Seul l'oxygène peut oxyder une substance.

_____
_____

f) **STE** Une substance qui permet l'oxydation est appelée un oxydant.

_____
_____

g) **STE** La respiration cellulaire est une réaction d'oxydation.

```
┌─────────┐  _____
│         │
└─────────┘  _____
```

h) **STE** Dans une réaction d'oxydation, l'oxygène donne des électrons à l'élément avec lequel il réagit.

```
┌─────────┐  _____
│         │
└─────────┘  _____
```

4. **STE** Lesquelles des réactions suivantes sont des réactions d'oxydation? Entourez les bonnes réponses. Lorsqu'il s'agit d'une réaction d'oxydation, nommez l'oxyde ainsi formé.

a) $C + O_2 \rightarrow CO_2 + \text{Énergie}$

_____

b) $2\,Na + Cl_2 \rightarrow 2\,NaCl + \text{Énergie}$

_____

c) $6\,CO_{2\,(g)} + 6\,H_2O_{\,(l)} + 2\,803\,kJ \rightarrow C_6H_{12}O_{6\,(s)} + 6\,O_{2\,(g)}$

_____

d) $C_6H_{12}O_{6\,(s)} + 6\,O_{2\,(g)} \rightarrow 6\,CO_{2\,(g)} + 6\,H_2O_{\,(l)} + 2\,803\,kJ$

_____

e) $4\,Fe + 3\,O_2 \rightarrow 2\,Fe_2O_3$

_____

5. **STE** Lesquelles des situations ci-dessous sont des réactions d'oxydation? Entourez les bonnes réponses.

a) Un chien qui respire.

b) Une automobile à essence qui roule sur l'autoroute.

c) Un morceau de papier qui brûle.

d) Une plante qui fait de la photosynthèse.

e) Une clôture qui rouille.

UM 3.9

 Manuel, p. 112 et 113

La photosynthèse et la respiration

Des termes à CONNAÎTRE

1. Complétez les phrases suivantes.

   a) La _____ est la transformation chimique par laquelle des organismes vivants transforment l'énergie rayonnante du Soleil en énergie chimique.

   b) La _____ est la transformation chimique par laquelle l'énergie contenue dans les sucres est libérée pour effectuer du travail dans les cellules vivantes.

   c) La photosynthèse est possible grâce à un pigment de couleur verte appelé _____, qui capte le rayonnement solaire.

2. Ce schéma illustre la photosynthèse. Complétez-le.

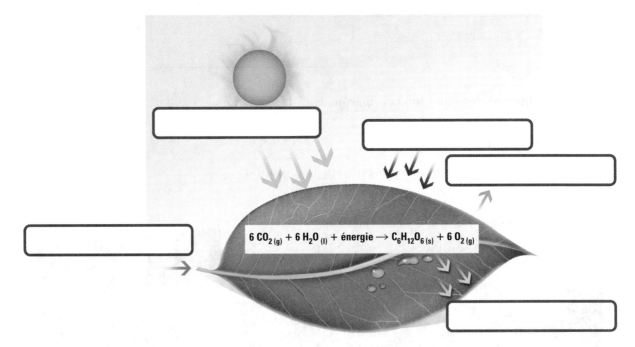

$$6\ CO_{2\,(g)} + 6\ H_2O_{(l)} + \text{énergie} \rightarrow C_6H_{12}O_{6\,(s)} + 6\ O_{2\,(g)}$$

UM 3.10

3. Répondez aux questions suivantes qui concernent le processus de photosynthèse qui se produit dans une plante.

  a) Nommez les deux substances que la plante puise dans son environnement pour réaliser la photosynthèse.

  _____

  b) Nommez les deux substances produites par la photosynthèse.

  _____

  c) Quelle source d'énergie utilise la plante pour réaliser la photosynthèse ?

  _____

  d) La photosynthèse produit une substance qui est à la base de presque toutes les chaînes alimentaires. Quelle est cette substance ?

  _____

  e) La photosynthèse produit une substance qui agit comme comburant lors de la respiration cellulaire. Quelle est cette substance ?

  _____

UM 3.10

4. Voici l'équation de la respiration cellulaire.

$$C_6H_{12}O_6 \ + \ 6\,O_{2\,(g)} \ \rightarrow \ 6\,CO_{2\,(g)} \ + \ 6\,H_2O_{(l)} \ + \ 2\,803\ kJ$$

  a) Quel est le combustible ? _____

  b) Quel est le comburant ? _____

  c) Où se produit cette réaction ? _____

CONCEPT **4.1**

 Manuel, p. 120

La stabilité nucléaire STE

Des termes à CONNAÎTRE

UM 4.1

1. Qui suis-je ?

   a) État où les forces nucléaires au sein du noyau atomique sont supérieures à la force de répulsion entre les protons.

   la stabilité nucléaire

   b) Force qui lie fortement les nucléons, assurant ainsi la stabilité du noyau de l'atome.

   la force nucléaire

   c) Particule sans charge électrique qui assure la stabilité du noyau.

   les neutrons

   d) Atome d'un élément ayant un nombre différent de neutrons que la majorité des atomes de cet élément.

   les isotopes

Des concepts à COMPRENDRE

2. Vrai ou faux ?

	Vrai	Faux
a) Les atomes qui ont la plus grande masse atomique, c'est-à-dire un gros noyau, sont les plus stables.		☑
b) Les atomes qui ont plus de neutrons que de protons sont généralement instables et peuvent se désintégrer.	☑	
c) Les atomes qui ont moins de neutrons que de protons sont généralement instables et peuvent se désintégrer.		☑
d) Les atomes qui ont autant de protons que de neutrons sont généralement instables et peuvent se désintégrer.		☑

3. Ce schéma illustre les noyaux de trois atomes. Lequel de ces noyaux appartient à l'atome le plus stable ? Justifiez votre réponse.

Proton

Neutron

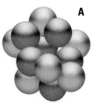

A   B   C

le noyau A est le plus stable. Il n'a pas plus de neutron que de protons

4. Voici un schéma qui illustre les noyaux de deux atomes. Lequel de ces atomes est le moins stable ? Justifiez votre réponse.

Proton

Neutron

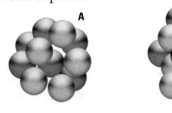

A

B

Le noyau B est moins stable. Il est plus grand (masse atomique) et il contient plus de neutron que de proton.

CONCEPT 4.2

  Manuel, p. 121 à 126

UM 4.1

La radioactivité STE

Des termes à CONNAÎTRE

1. Complétez les phrases à l'aide des termes suivants.

- demi-vie
- radioactivité
- rayonnement alpha
- rayonnement bêta
- rayonnement gamma

La _radioactivité_ est un phénomène qui se produit lorsque certains noyaux atomiques instables émettent spontanément certaines particules et de l'énergie en se désintégrant.

Cette transformation nucléaire peut se produire par l'émission de trois types de rayonnements.

- Le _rayonnement alpha_ est émis lorsqu'un atome instable libère un noyau d'hélium.

- Le _rayonnement bêta_ est émis lorsqu'un noyau atomique instable retrouve la stabilité en transformant l'un de ses neutrons en proton.

- Le _rayonnement gamma_ est souvent émis en même temps que les rayonnements alpha et bêta.

Le temps qu'il faut à la moitié des noyaux instables d'une quantité d'isotope radioactif pour se désintégrer se nomme _demi-vie_.

Des concepts à COMPRENDRE

2. Le tableau ci-dessous présente les caractéristiques des trois types de rayonnements. Complétez-le.

Type de rayonnement	Composition de la particule émise	Pénétration typique	Provenance	Charge
Alpha	de l'hélium	5cm dans l'air pas la peau...	Provient de la désintégration de noyaux lourds.	Positive
Bêta	Un électron	Moyenne (± 30 à 50 cm dans l'air)	lorsqu'un noyau atomique trouve sa stabilité en transformant un de ses n° en p⁺.	négative
Gamma	Rayonnement sans particule	parcours de grande distance dans l'air, les tissus vivants.	Provient d'un noyau en état d'excitation élevé; émis en même temps que les rayonnements alpha et bêta.	ni masse ni charge

UM 4.2

3. Indiquez si chacun des énoncés suivants est vrai ou faux. Rectifiez l'énoncé lorsqu'il est faux.

a) Le numéro atomique de l'élément transmuté augmente lorsqu'il y a émission de rayons gamma à la suite de la transformation d'un neutron en proton.

⬭ _____
_____

b) La masse atomique de l'élément diminue lorsqu'il y a émission de rayons gamma à la suite de la transformation d'un neutron en proton.

⬭ _____
_____

c) Un électron est projeté lorsqu'il y a émission d'un rayon gamma.

⬭ _____
_____

d) Un proton est transformé en neutron lorsqu'il y a émission d'un rayon bêta.

⬭ _____
_____

e) Le numéro atomique de l'élément change lorsqu'il y a émission de rayons bêta.

⬭ _____
_____

f) La masse atomique de l'élément change lorsqu'il y a émission de rayons bêta.

[ ] _____
_____

g) Le numéro atomique de l'élément change lorsqu'il y a émission de rayons alpha.

[ ] _____
_____

h) La masse atomique de l'élément change lorsqu'il y a émission de rayons alpha.

[Vrai] _____
_____

i) Une particule composée de deux protons et de deux neutrons est produite lorsqu'il y a émission de rayons alpha.

[ ] _nombre de p⁺ et de n° diminue de 2._
_____

j) Seuls les rayons alpha et gamma sont appelés « rayons ionisants ».

[faux] _les rayons alpha, bêta et gamma sont des_
rayons ionisants.

k) Les rayons alpha sont ceux qui ont le plus grand pouvoir de pénétration. C'est pour cette raison qu'ils sont les plus néfastes pour les organismes vivants.

[Faux] _Ce sont les rayons gammas sont les plus néfastes_
et ont le plus grand pouvoir de pénétration.

4. On songe à envoyer des astronautes sur la planète Mars. Ce voyage durerait environ deux ans et on sait que le Soleil émet de nombreuses radiations qui peuvent être nocives pour les astronautes, même s'ils sont à l'intérieur d'un vaisseau spatial.

a) Selon vous, laquelle des radiations, alpha, bêta ou gamma, risque de causer le plus de tort à la santé des astronautes ? Justifiez votre réponse.

_____
_____
_____

b) De quels problèmes de santé pourraient souffrir les astronautes ?

_____
_____
_____
_____

Des problèmes à RÉSOUDRE

5. Ces équations traduisent des transformations nucléaires. Complétez-les.

a)
$$^{234}_{92}\text{U} \rightarrow {}^{230}_{90}\text{Th} + \boxed{}$$

Uranium 234 $\rightarrow$ Thorium 230 + _____

b)
$$^{226}_{88}\text{Ra} \rightarrow \boxed{} + {}^{4}_{2}\text{He}$$

Radium 226 $\rightarrow$ _____ + particule α

c)
$$\boxed{} \rightarrow {}^{210}_{82}\text{Pb} + {}^{4}_{2}\text{He}$$

_____ $\rightarrow$ Plomb 210 + particule α

d)
$$^{228}_{88}\text{Ra} \rightarrow {}^{228}_{89}\boxed{} + {}^{0}_{-1}\beta$$

Radium 228 _____ particule β

e)
$$^{212}_{82}\text{Pb} \rightarrow {}^{212}_{\boxed{}}\boxed{} + {}^{0}_{-1}\beta$$

Plomb 212 _____ particule β

6. Des archéologues ont trouvé dans une grotte les vestiges d'un feu fait par des hommes préhistoriques. Ils veulent dater le site à l'aide du carbone 14 que contient le bois brûlé.

L'échantillon leur permet de déterminer qu'à l'origine le bois contenait 0,3 g de carbone 14 et qu'il n'en reste plus que 0,03 g.

À l'aide du graphique ci-dessous, qui illustre la demi-vie du carbone 14, déterminez l'âge de l'échantillon de bois.

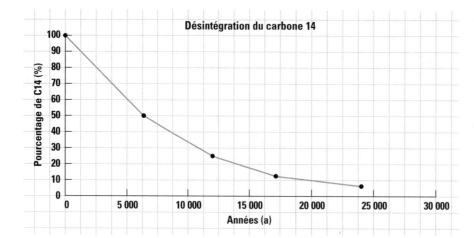

_____

_____

7. Certaines centrales nucléaires produisent du plutonium (Pu 239), une substance hautement radioactive. Le plutonium a une demi-vie de 24 000 ans.

   a) Complétez le tableau ci-contre qui présente la désintégration du plutonium 239.

   b) Sur le graphique ci-dessous, tracez la courbe qui montre la désintégration de 1 kg de plutonium pendant 144 000 ans.

Temps (années)	Masse de Pu 239 (g)
0	1 000
24 000	
48 000	
72 000	
96 000	
120 000	
144 000	

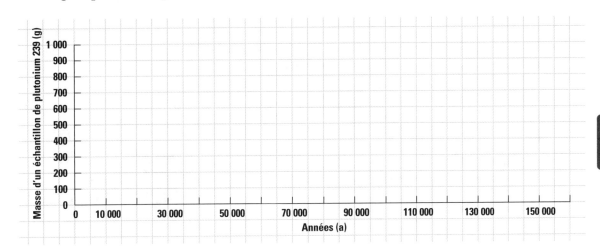

UM
4.2

CONCEPT **4.3**

Manuel, p. 127 à 130

La fission et la fusion nucléaires STE

Des termes à CONNAÎTRE

1. Qui suis-je?

   a) Le processus par lequel deux noyaux atomiques légers s'assemblent pour former un noyau plus lourd.

   la fusion nucléaire

   b) Le processus par lequel un noyau atomique se scinde en deux noyaux plus légers.

   la fission nucléaire

   c) Fissions répétées déclenchées par la libération de plusieurs neutrons à la suite d'une fission nucléaire initiale. Si ce processus n'est pas contrôlé, l'énergie qu'il produit est relâchée trop rapidement, ce qui peut entraîner une explosion nucléaire.

   la réaction en chaîne

2. Quelle est la principale condition nécessaire pour que se produise une fusion nucléaire?

_____

_____

Des concepts à **COMPRENDRE**

3. Indiquez si chacune des équations suivantes représente une fusion ou une fission nucléaire.

   a) $^{236}_{92}U \rightarrow {}^{141}_{56}Ba + {}^{92}_{36}Kr + 3{}^{1}_{0}n$ + Énergie _____

   b) $4{}^{1}_{1}H \rightarrow {}^{4}_{2}He + 2{}^{0}_{-1}\beta$ + Énergie _____

4. Les schémas ci-dessous illustrent des réactions nucléaires. Dans chaque cas, précisez s'il s'agit d'une fusion ou d'une fission nucléaire.

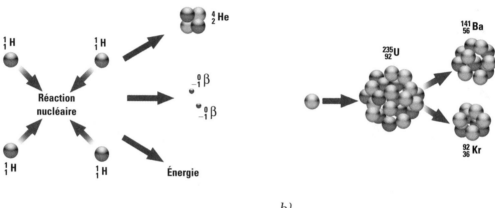

   a) _____   *b)* _____

5. Classez en ordre croissant les phénomènes ci-dessous selon la quantité d'énergie qu'ils libèrent par gramme de matière.

   A: La fission d'un gramme d'uranium (U).

   B: La fusion d'un gramme d'hydrogène (H).

   C: L'explosion d'un gramme de dynamite.

6. La fission d'un atome peut avoir deux causes. Dans certains cas, la fission sera spontanée et naturelle, alors que, dans d'autres cas, elle sera provoquée et artificielle.

   a) Qu'est-ce qui peut causer la fission artificielle d'un atome habituellement stable?

_____

_____

_____

   b) Quel type d'atome se fissionne naturellement?

_____

_____

CONCEPT 6.1

Manuel, p. 142 à 145

La relation entre le travail, la force et le déplacement STE

Des termes à CONNAÎTRE

1. Complétez les phrases à l'aide des termes suivants.

- la force • la force efficace • l'énergie cinétique • l'énergie potentielle • le travail

a) _L'énergie cinétique_ est liée au mouvement d'un corps.

b) _l'énergie potentielle_ est emmagasinée dans un corps et peut être transformée en une autre forme d'énergie.

c) _Le travail_ correspond à _la force_ appliquée sur un corps au moment de son déplacement.

d) _La force efficace_ est la composante d'une force qui est parallèle à la direction du déplacement d'un objet et qui produit le travail.

2. L'équation $W = Fd$ permet de calculer le travail. Complétez le tableau ci-dessous à l'aide de cette équation.

Variable	Signification	Unité de mesure
W	Le travail	Joule (J)
F	force	newtons (N)
d	déplacement de l'objet	mètres (m)

3. L'équation $F_{eff} = F\cos\theta$ permet de calculer la force efficace. Complétez le tableau ci-dessous à l'aide de cette équation.

Variable	Signification	Unité de mesure
F_{eff}	La force efficace	Newton (N)
F	force appliquée	newtons (N)
θ	valeur de l'angle entre la direction de la force appliquée et la direction du déplacement.	

UM
6.1

4. Quelles sont les trois conditions essentielles pour qu'un travail soit effectué?

1) L'objet doit se déplacer.

2) Une force doit être appliquée sur l'objet.

3) Le déplacement de l'objet doit être dans la même direction que la force appliquée sur l'objet ou qu'une composante de celle-ci.

Des concepts à COMPRENDRE

5. Dans les situations décrites ci-dessous, indiquez si un travail est effectué. Justifiez votre réponse.

UM 6.1

a) Vous poussez sur une porte fermée et verrouillée.

non. l'objet ne se déplace pas.

b) À l'aide d'une queue de billard, Alexandre frappe une boule qui se dirige vers la bande.

oui

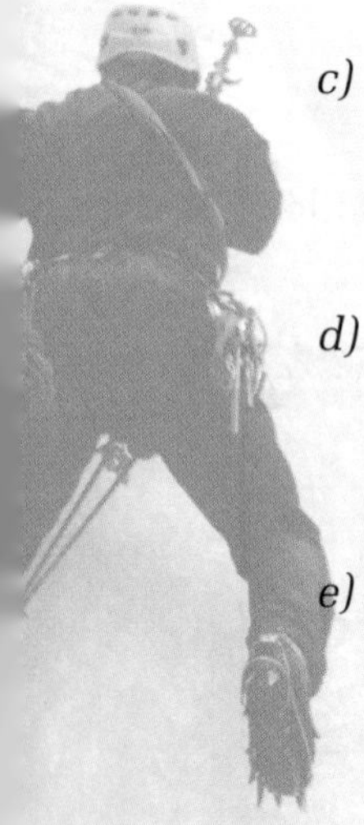

c) Léa enfonce un clou dans une planche.

oui

d) Une automobile roule sur son élan, moteur éteint.

e) Un haltérophile lève un poids de 100 kg.

f) Un campeur transporte un sac à dos de 40 kg alors qu'il marche dans un sentier horizontal.

g) Une alpiniste escalade l'Éverest.

oui

h) Éric fait une ballade à cheval.

non. il n'y a pas de force appliquée sur Éric.

6. Dans laquelle des situations illustrées ci-dessous la force efficace est-elle la plus grande ?
   Justifiez votre réponse.

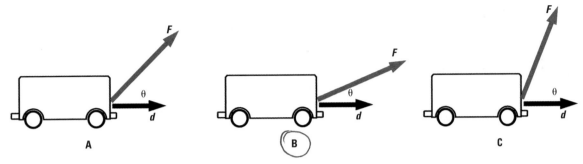

A   B   C

Plus e'L est près de O, plus la force est appliquée de façon parallèle et plus la force efficace est grande.

Des problèmes à RÉSOUDRE

7. Calculez le travail effectué lorsqu'une force de 30 N est appliquée pour déplacer un objet
   sur une distance de 2 m et que la force et le mouvement sont dans la même direction.

   Laissez des traces de votre démarche.

   $W = Fd$
   $W = 30 \times 2 = 60$ J

   Réponse: _60 J_

8. Calculez le travail effectué lorsqu'une force de 20 N est appliquée pour déplacer un objet
   sur une distance de 4 m et que la force et le mouvement sont dans la même direction.

   Laissez des traces de votre démarche.

   $W = Fd$
   $W = 20 \times 4 = 80$ J

   Réponse: _80 J_

9. Calculez la distance parcourue par un objet sur lequel on a appliqué une force de 30 N si le travail effectué est de 120 J.

Laissez des traces de votre démarche.

$W = Fd$

$d = \dfrac{W}{F} = \dfrac{120}{30} = 40\,m$

Réponse : _40 m_

10. Calculez la hauteur à laquelle est soulevé un objet si on applique une force verticale de 7 N sur cet objet et que le travail effectué est de 49 J.

Laissez des traces de votre démarche.

Réponse : _____

11. Calculez la force efficace dans les situations suivantes. La force appliquée est de 100 N dans chaque cas.

Laissez des traces de votre démarche.

Wagon A   Wagon B   Wagon C

Wagon A :

$F_{eff} = F\cos\theta$

$= 100 \times \cos 45$

$= 70{,}71\,N$

Réponse : _70,71 N_

Wagon B :

$$F_{eff} = F \cos\theta$$
$$= 100 \times \cos 20$$
$$= 93,97 \ N$$

Réponse : 93,97 N

Wagon C :

$$F_{eff} = F \cos\theta$$
$$= 100 \times \cos 75$$
$$= 25,88 \ N$$

Réponse : 25,88 N

UM
6.1

12. Calculez le travail effectué dans les situations de la question 11 si les wagons se déplacent sur une distance de <u>12 m</u>.

Laissez des traces de votre démarche.

$$W = F \cos\theta d$$

Wagon A :

$$W = F \times \cos\theta \times 12$$
$$= 100 \times \cos 45 \times 12$$
$$= 848,53 \ N$$

Réponse : 848,53 N

Wagon B :

$$W = F \times \cos\theta \times 12$$
$$= 100 \times \cos 20 \times 12$$
$$= 1127,63 \ N$$

Réponse : 1127,63 N

Wagon C :

$$W = F \times \cos \theta \times 12$$
$$= 100 \times \cos 75 \times 12$$
$$= 310,58 \ N$$

Réponse : _310,58 N_

CONCEPT **6.2**

 Manuel, p. 146

UM 6.1

La relation entre le travail et l'énergie STE

Des termes à CONNAÎTRE

1. Dans l'équation $W = \Delta E$, à quoi correspond chacune des variables ?

W = _travail (J)_

ΔE = _variation de l'énergie de l'objet (J)_

Des concepts à COMPRENDRE

2. Indiquez si chacun des énoncés suivants est vrai ou faux. Rectifiez l'énoncé lorsqu'il est faux.

a) Le travail correspond à un processus de transfert d'énergie.

Vrai _____

b) Une partie de l'énergie utilisée pour faire un travail est perdue.

faux _Selon la loi de la conservation de l'énergie, l'énergie se tran___ _d'une forme à une autre sans perte d'énergie_

c) On peut définir le travail comme un transfert d'énergie entre deux corps, deux objets ou deux systèmes.

vrai _____

d) Pour faire un travail, il faut nécessairement de l'énergie.

faux _il faut nécessairement une force_

3. Une personne pousse de toutes ses forces sur un mur de béton qui reste immobile. Le mur emmagasine-t-il de l'énergie ? Justifiez votre réponse.

_____

_____

4. Jérémie pousse une voiturette vers le sommet d'une colline. Y a-t-il un transfert d'énergie ? Justifiez votre réponse.

_____

5. L'illustration présente un personnage qui soulève une boîte et la pose sur une tablette. Sous le poids de la boîte, la tablette cède et la boîte tombe.

À l'aide des illustrations, répondez aux questions.

| **Étape A** | **Étape B** | **Étape C** | **Étape D** | **Étape E** |

UM 6.2

a) Aux étapes A, B et C, un travail a-t-il été effectué ?

_____

_____

b) Aux étapes D et E, un travail a-t-il été effectué ?

_____

_____

c) Aux étapes A, B et C, dans quel sens s'effectue le transfert d'énergie ?

_____

_____

d) Aux étapes A, B et C, quel corps perd de l'énergie ? *le garçon*

e) Aux étapes A, B et C, quel corps gagne de l'énergie ? *la boîte*

f) Si le travail effectué pour mettre la boîte sur la tablette est de 500 J, quelle quantité d'énergie a été emmagasinée par cette boîte ?   _____

g) Quelle quantité d'énergie la boîte qui tombe dégagera-t-elle en touchant le sol ?   _____

6. Catherine porte un sac à dos contenant des livres. Elle porte son sac sur une épaule et marche dans un corridor sur une distance de 50 m. Y a-t-il transfert d'énergie entre Catherine et le sac à dos ? Justifiez votre réponse.

_____

_____

_____

_____

7. Si Catherine s'engage maintenant dans un escalier avec le même sac à dos :

   a) Un travail est-il effectué ?

   _____

   _____

   b) Y a-t-il transfert d'énergie ?

   _____

   _____

**UM
6.2**

CONCEPT 6.3

 Manuel, p. 147

La relation entre la masse et le poids STE

Des termes à CONNAÎTRE

1. La relation entre la masse et le poids se traduit par l'équation $w = F_g = mg$. Indiquez quelles variables représentent :

   a) la masse de l'objet ; _m_____

   b) le poids de l'objet ; _W au Fg_____

   c) l'intensité du champ gravitationnel. ___g_____

2. Complétez la phrase en utilisant les termes suivants.

   • la masse   • le poids   • l'intensité

   ___la masse_____ correspond à la quantité de matière contenue dans un corps

   alors que ___le poid_____ correspond au produit de la masse d'un corps et

   de ___l'intensité_____ du champ gravitationnel.

Des problèmes à RÉSOUDRE

3. Calculez le poids sur Terre d'un astronaute qui a une masse de 75 kg.

Laissez des traces de votre démarche.

$$g_{Terre} = 9,8 \text{ N/kg}$$

Réponse: _____

UM
6.3

4. Imaginez qu'une astronaute en mission spatiale se rend sur la Lune ainsi que sur Vénus, Mars et Jupiter. La masse de cette astronaute est de 60 kg.

a) Complétez le tableau ci-dessous.

Planète	*g* (N/kg)	*Fg* (N)
Terre	9,8	
Lune	1,6	
Vénus	8,8	
Mars	3,7	
Jupiter	24,9	

b) Sur Mars, l'astronaute aura-t-elle l'impression d'être plus lourde ou plus légère que sur Terre?

_____

c) En comparaison de son poids sur Terre, combien de fois plus lourde se sentira l'astronaute sur Jupiter?

_____

5. Un astronaute qui a une masse de 70 kg est sur une planète de notre système solaire et vous devez déterminer sur quelle planète il se trouve. Vous lui demandez son poids et il vous répond qu'il est de 616 N. Pouvez-vous dire sur quelle planète il se trouve ? Justifiez votre réponse à l'aide du tableau de la question 4 *a*.

Laissez des traces de votre démarche.

Réponse : _____

6. Marie possède un appareil qui donne le poids en newtons. Félix grimpe sur l'appareil en question qui indique alors 764,4 N. Pouvez-vous calculer la masse de Félix en kilogrammes ?

Laissez des traces de votre démarche.

Réponse : _____

UM 6.3

CONCEPT 6.4

Manuel, p. 148 et 149

La relation entre l'énergie cinétique, la masse et la vitesse STE

Des termes à CONNAÎTRE

1. Complétez la phrase suivante.

L'énergie cinétique correspond à la moitié du produit de la *masse* et du carré de la *vitesse* d'un corps en mouvement.

2. Dans l'équation $E_k = \frac{1}{2}mv^2$, à quoi correspond chacune des variables de l'équation ?

$E_k =$ _énergie cinétique (J)_

$m =$ _masse de l'objet (Kg)_

$v =$ _vitesse de l'objet (m/s)_

Des concepts à COMPRENDRE

3. Indiquez si chacun des énoncés suivants est vrai ou faux. Rectifiez l'énoncé lorsqu'il est faux.

a) Un corps en mouvement ne peut pas exercer de force sur un autre corps.

b) Un corps en mouvement peut effectuer un travail.

**UM
6.4**

c) L'énergie cinétique d'un objet est proportionnelle à sa masse.

d) L'énergie cinétique d'un objet est proportionnelle au carré de sa masse.

e) L'énergie cinétique d'un objet double si sa masse est doublée.

f) L'énergie cinétique d'un objet double si sa vitesse est doublée.

Chapitre 1 Univers matériel **77**

Des problèmes à **RÉSOUDRE**

4. Le tableau suivant indique la masse et la vitesse de différents corps en mouvement. Pour chacun, calculez leur énergie cinétique.

Masse (kg)	Vitesse (m/s)	E_k (J)	Masse (kg)	Vitesse (m/s)	E_k (J)
1	1		1	1	
2	1		1	2	
3	1		1	3	
4	1		1	4	
5	1		1	5	
6	1		1	6	

UM 6.4

Réponse : ______

5. Une petite voiture a une masse de 1 000 kg, tandis qu'un gros véhicule utilitaire sport a une masse de 4 000 kg. Si les deux véhicules se déplacent à une vitesse de 100 km/h (environ 28 m/s), calculez l'énergie cinétique de chacun des véhicules au moment d'un impact avec un mur de béton solide.

Laissez des traces de votre démarche.

Réponse : ______

6. Une voiture ayant une masse de 2 000 kg roule à une vitesse de 50 km/h (14 m/s), puis à une vitesse de 100 km/h (28 m/s). Calculez l'énergie cinétique du véhicule à ces deux vitesses.

Laissez des traces de votre démarche.

Réponse : _____

7. Dans l'espace, autour de la Terre, il y a de nombreux débris de différentes tailles qui proviennent de programmes spatiaux antérieurs. Le tableau ci-dessous présente la masse et la vitesse de quatre d'entre eux. Sachant que le scaphandre d'un astronaute peut résister à l'impact d'un débris de 500 J d'énergie cinétique ou moins, indiquez lequel des débris A, B, C ou D pourrait endommager un scaphandre.

Débris	Masse du débris (g)	Vitesse du débris (m/s)	Énergie cinétique (J)
A	2,6	220	
B	12,03	235	
C	5,72	458	
D	7,15	288	

Réponse : _____

CONCEPT 6.5

 Manuel, p. 150 et 151

La relation entre l'énergie potentielle, la masse, l'accélération et le déplacement STE

Des termes à CONNAÎTRE

1. Dans l'équation $E_p = mgh$, indiquez à quoi correspond chacune des variables.

$E_p =$ _énergie potentielle gravitationnelle (J)_

$m =$ _masse de l'objet (kg)_

$g =$ _intensité du champs gravitationnel (9,8 N/kg sur Terre)_

$h =$ _hauteur de l'objet par rapport à un point de référence (m)_

UM 6.5

2. Complétez la phrase à l'aide des termes suivants.

- l'intensité
- la masse
- la hauteur

L'énergie potentielle gravitationnelle emmagasinée dans un objet dépend de

la masse , de _l'intensité_ du champ gravitationnel

et de _la hauteur_ de l'objet par rapport à un point de référence.

Des concepts à COMPRENDRE

3. Indiquez si chacun des énoncés suivants est vrai ou faux. Rectifiez l'énoncé lorsqu'il est faux.

a) L'énergie potentielle| peut être qualifiée d'énergie (dépensée.) X

↓gravitationnelle   emmagasinée

Faux   en réserve

b) L'énergie potentielle gravitationnelle dépend de la hauteur de l'objet par rapport à un point de référence.

vrai

c) L'énergie potentielle| peut être qualifiée d'énergie de réserve.

↓gravitationnelle

vrai

d) L'énergie potentielle ne peut pas se transformer en énergie cinétique.

Faux

4. Calculez l'énergie potentielle d'un corps de 10 kg qui est à 10 m du sol.

Laissez des traces de votre démarche.

$E_p = m \times g \times h$
$E_p = 10 \times 9,8 \times 10$
$= 980 \text{ J}$

Réponse : _980 J_

5. Calculez l'énergie potentielle de ce même corps de 10 kg à 10 m du sol de Mars (g sur Mars $= 3,7$ N/kg).

Laissez des traces de votre démarche.

$E_p = m \times g \times h$
$= 10 \times 3,7 \times 10$
$= 370 \text{ J}$

Réponse : _370 J_

6. Pour enfoncer des pieux métalliques dans le sol, on utilise une grue qui soulève une masse de 1 500 kg et la laisse ensuite tomber sur les pieux. À quelle hauteur faut-il soulever la masse pour qu'elle ait une énergie potentielle de 36 750 J ?

Laissez des traces de votre démarche.

$E_p = m \times g \times h$
$h = \dfrac{E_p}{m \times g} = \dfrac{36\ 750}{9,8 \times 1500} = 2,5 \text{ m}$

Réponse : _2,5 m_

7. Les acrobates A et B se produisent dans un cirque. L'acrobate A, juchée à 4 m de hauteur, se laisse tomber sur une planche à bascule. Quelle était son énergie potentielle juste avant sa chute si sa masse est de 80 kg?

Laissez des traces de votre démarche.

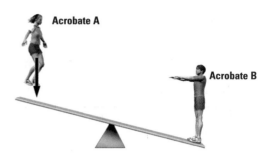

Acrobate A

Acrobate B

$$Ep = mgh$$
$$= 80 \times 9,8 \times 4$$
$$= 3136 \text{ J}$$

Réponse: _3136 J_

8. En vous référant à la question 7, supposez que toute l'énergie potentielle de l'acrobate A est transformée en énergie cinétique et que cette énergie est entièrement transférée à l'acrobate B. À quelle hauteur l'acrobate B sera-t-il propulsé si sa masse est de 40 kg?

Laissez des traces de votre démarche.

$$Ep = m \cdot g \cdot h$$
$$\frac{Ep}{m \times g} = h$$
$$h = \frac{3136}{40 \times 9,8} = 8 \text{ m}$$

Réponse: _8 m_

CONCEPT 6.6

 Manuel, p. 152 et 153

La loi de la conservation de l'énergie

Des termes à CONNAÎTRE

1. Complétez l'équation suivante.

$E_m =$ _____

2. Complétez les phrases en utilisant les termes suivants.

• créée   • détruite   • énergie   • matière   • mécanique   • transformée

a) Selon la loi de la conservation de l'énergie, l'énergie ne peut être ni

_____ ni _____, mais seulement _____

d'une forme à une autre.

b) Un système isolé est un système qui n'échange ni _____ ni

_____ avec son environnement.

c) L'énergie _____ est la somme de l'énergie potentielle et de l'énergie

cinétique que possède un système.

Des concepts à **COMPRENDRE**

3. Répondez aux questions à l'aide du schéma ci-dessous.

Trajet des montagnes russes d'un parc d'attractions

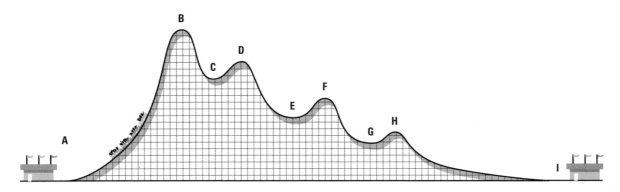

a) À quel point l'énergie potentielle est-elle la plus grande ? _____

b) Dans la section B-C, l'énergie potentielle augmente-t-elle
ou diminue-t-elle ?   _____

c) Dans la section B-C, l'énergie cinétique augmente-t-elle
ou diminue-t-elle ?   _____

d) Dans la section C-D, l'énergie potentielle augmente-t-elle
ou diminue-t-elle ?   _____

e) Dans la section C-D, l'énergie cinétique augmente-t-elle
ou diminue-t-elle ?   _____

f) À quels points l'énergie potentielle est-elle la plus basse ?  A I

4. Mélanie est sur une balançoire, comme le montre le schéma ci-contre. En A, son énergie (mécanique) potentielle est de 600 J, en B, elle est de 400 J et en C, de 220 J.

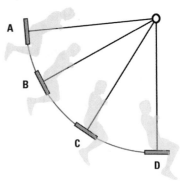

a) Quelle sera son énergie cinétique en B?

A: vitesse nulle ...   E M = EPG + EC
                        EM = 600J

B: 600 J = 400J + 200 J

C: 600 JT 220J + 380J

D: hauteur O
        600J = 0J + 600J

Réponse: _____

b) Quelle sera son énergie cinétique en C?

Réponse: _____

c) Quelle sera son énergie cinétique en D? Justifiez votre réponse.

_____

_____

d) Quelle sera son énergie potentielle en D? Justifiez votre réponse.

_____

_____

UM
6.6

5. Jonathan a une masse de 70 kg. Il se trouve au sommet d'une montagne russe à une hauteur de 30 m du sol.

a) Quelle énergie mécanique potentielle Jonathan a-t-il emmagasinée à cette hauteur ?

Laissez des traces de votre démarche.

E_g : $m \cdot g \cdot h_A = 70 \times 30 \times 10 = 21000$ J

vitesse nulle au début... $\Rightarrow E_c = 0$ $\Rightarrow E_M = 21000$ J

Réponse : _____

UM
6.6

b) Si la voiture dans laquelle se trouve Jonathan commence à descendre et que le premier creux est à 22 m du sol, quelle quantité d'énergie cinétique Jonathan a-t-il acquise une fois ce creux atteint ?

Laissez des traces de votre démarche.

A ^{21000} J

21000 J

B

déduire la vitesse

$E_M = E_c + E_{PG}$
$E_c = E_M - E_{PG}$
$\quad = 21000$ J $- 70$ kg $\times 10 N/_{kg} \times 22$
$\quad = 5600$ J

Réponse : 5600 J

$E_c = \frac{1}{2} m v^2$

$\frac{2 E_c}{m} = \frac{m v^2}{m}$

$V = \sqrt{\frac{2 E_c}{m}} = 12{,}65 \ m/s$

CONCEPT 6.7

 Manuel, p. 154 et 155

Le rendement énergétique

Des termes à CONNAÎTRE

1. Complétez la phrase suivante.

   Le rendement énergétique d'une machine ou d'un système est le _pourcentage_ de l'énergie consommée qui a été transformée en énergie utile.

Des concepts à COMPRENDRE

UM 6.7

2. Indiquez si chacun des énoncés suivants est vrai ou faux. Rectifiez l'énoncé lorsqu'il est faux.

   a) Dans toute machine ou tout système, une certaine énergie est gaspillée.

   vrai   _(dissipé dans l'environnement)_

   b) Le rendement énergétique d'un système est le rapport, exprimé en pourcentage, entre la quantité d'énergie utile et la quantité d'énergie consommée.

   Vrai

   c) Dans toute machine, une partie de l'énergie est (détruite)

   Faux   _transformée en d'autres formes d'énergie._

   d) L'énergie peut être créée avec certains appareils.

   Faux   _L'énergie est transformée._

   e) Si, dans un système, on pouvait mesurer les rapports entre les différentes formes d'énergie en jeu et l'énergie consommée, on arriverait toujours à un total de 100 %.

   Vrai

3. Quelle équation permet de déterminer le rendement énergétique d'un système ?

   $$\text{rendement énergétique} = \frac{\text{Quantité d'énergie utile (J)}}{\text{Quantité d'énergie consommée (J)}} \times 100$$

Nom : ______________________ Groupe : __________ Date : __________

Des problèmes à **RÉSOUDRE**

4. Quel est le rendement énergétique d'un moteur électrique si l'énergie fournie à ce moteur est de 700 000 J et que 200 000 J sont utilisés pour le faire tourner ?

rendement énergétique = $\frac{200\ 000\ J}{700\ 000\ J} \times 100 = 28,57\ \%$

Réponse : 28,57 %

UM 6.7

5. Un morceau de chocolat contient un million de joules. Sachant que seule une partie de l'énergie contenue dans les aliments est utilisée par le corps humain et que le rendement moyen d'un aliment est de 10 %, combien de joules provenant de ce morceau de chocolat serviront à vous fournir de l'énergie utile ?

$10\ \% = \frac{\text{énergie utile}}{1\ 000\ 000\ J} \times 100$

énergie utile $= \frac{10}{100} \times 1\ 000\ 000\ J$

$= 100\ 000\ J$

Réponse : 100 000 J

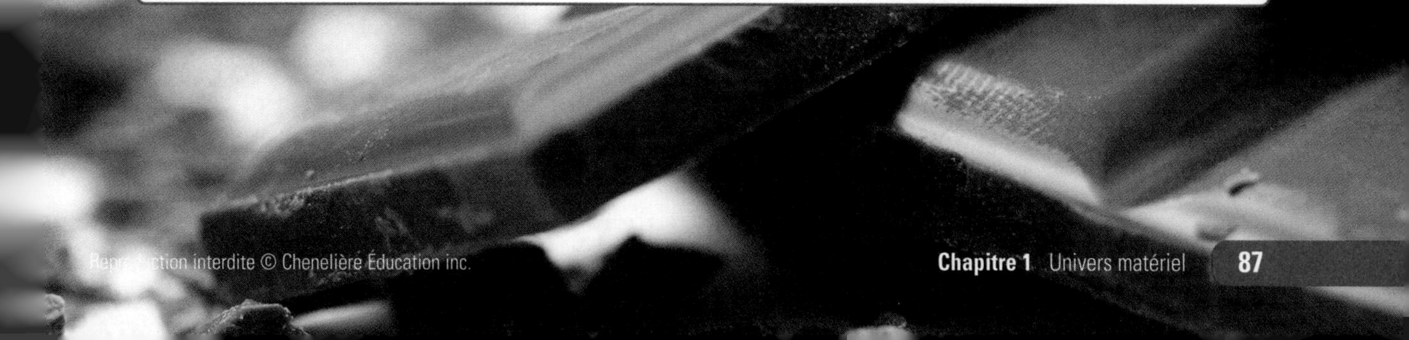

6. En supposant que les trois types de lampe présentées ci-dessous fournissent le même éclairage, calculez le rendement énergétique de chacune. Indiquez ensuite la lampe qui serait la plus économique à utiliser.

Types de lampes	Énergie consommée (J)	Énergie transformée en chaleur (J)	Énergie lumineuse utile (J)	Rendement énergétique (%)
Lampe fluorescente	36 000	28 000	8000	22,22 %
Lampe à incandescence	150 000	135 000	15 000	10 %
Lampe à diode électroluminescente	20 000	14 000	6 000	30 %

- Énergie lumineuse utile = Énergie consommée − Énergie chaleur

36000 − 28000 = 8000 J
150000 − 135 000 = 15 000 J
20 000 − 14000 = 6000 J

- R'$_E$ = énergie utile / énergie consommée

$= \dfrac{8000}{36000} = 22,22 \%$

$= \dfrac{15000}{150 000} = 10 \%$

$= \dfrac{6000}{20000} = 30 \% ✓$

La plus économique à l'usage serait : lampe à diode électroluminescente

UM 6.7

7. Voici les dépenses d'énergie des différentes composantes du système d'un cyclomoteur:
- système d'échappement: 37,5 %
- transmission: 25 %
- système de refroidissement: 25 %

a) Quel pourcentage de l'énergie sert à faire avancer le cyclomoteur s'il n'y a pas d'autres pertes énergétiques? _____ *12,5 %* _____

b) Reportez ces valeurs de dépenses d'énergie dans le graphique ci-dessous. Nommez chaque partie du graphique et distinguez chacune de ces parties par des couleurs ou des motifs différents.

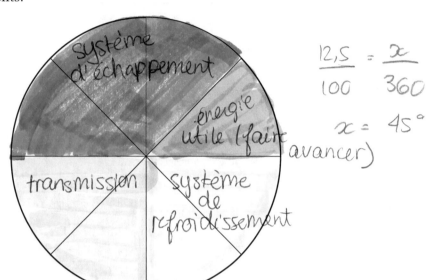

$$\frac{12,5}{100} = \frac{x}{360}$$

$$x = 45°$$

CONCEPT 6.8

Manuel, p. 156

La distinction entre chaleur et température

Des termes à CONNAÎTRE

1. Complétez les phrases à l'aide des termes suivants.

- La chaleur
- La température
- L'énergie thermique

a) *La température* est une mesure du degré d'agitation des atomes et des molécules.

b) *La chaleur* est un transfert d'énergie entre deux systèmes de températures différentes.

c) *L'énergie thermique* est une forme d'énergie que possède une substance en raison de l'agitation de ses particules (atomes ou molécules).

Des concepts à COMPRENDRE

2. Indiquez si chacun des énoncés suivants est vrai ou faux. Rectifiez l'énoncé lorsqu'il est faux.

   a) Plus l'agitation des particules est grande, moins la température est élevée.

   plus

   Faux _____

   b) Plus la quantité de particules est élevée, plus la substance contient de l'énergie thermique.

   vrai _____

   c) L'énergie thermique dépend de la masse de la substance, de sa température et de sa nature.

   vrai _____

   d) Il y a plus d'énergie thermique dans 400 g d'eau à 17 °C que dans 200 g d'eau à la même température.

   Vrai _____

   e) Il y a plus d'énergie thermique dans 400 g d'eau à 17 °C que dans 400 g à 27 °C.

   car 17°C < 27°C

   Faux _____

   f) Si on plonge une bouillotte d'eau chaude contenant 1 kg d'eau à 80 °C dans un bassin contenant 4 kg d'eau à 10 °C, l'énergie thermique sera transférée de l'eau de la bouillotte à celle du bassin.

   Vrai _____

   g) Dans le cas de la bouillotte en *f*, la température de l'eau du bassin s'élèvera jusqu'à 80 °C.

   car $\frac{80+10}{2}$ = 45°C dans les deux

   Faux _____

3. Voici deux béchers contenant de l'eau. Lequel contient le plus d'énergie thermique ?

   A car 200g > 100g à 75°

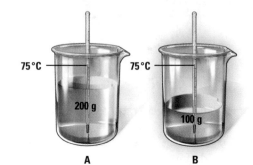

4. Voici deux béchers contenant de l'eau.
   Lequel contient le plus d'énergie
   thermique ?

   le A car 75°C > 25°C

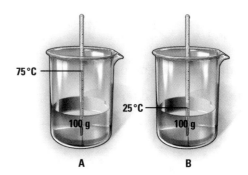

CONCEPT 6.9

Manuel, p. 157 à 159

La relation entre l'énergie thermique, la capacité thermique massique, la masse et la variation de température STE

UM
6.8

Des termes à CONNAÎTRE

1. Complétez les phrases suivantes.

   La variation de l'énergie thermique d'une substance correspond au produit de
   sa __masse_____, de sa _capacité à emmagasiner_ et de _de la chaleur_
   la _variation de la température_ de cette substance.

   La capacité thermique massique correspond à la quantité d'_énergie thermique_____
   qu'il faut transférer à un gramme de substance pour ___augmenter_____ sa
   température de 1°C.

2. Dans l'équation $Q = mc\Delta T$, que signifie chacune des variables ?

   a) La variable __Q__ correspond à la quantité de chaleur, exprimée en joules (J).

   b) La variable __m__ correspond à la masse de la substance, exprimée en grammes (g).

   c) La variable __c__ correspond à la capacité thermique massique, exprimée en joules par gramme degré Celsius (J/g °C).

   d) La variable __Δt__ correspond à la variation de température, exprimée en degrés Celsius (°C), où $\Delta T = T_{finale} - T_{initiale}$.

Des concepts à COMPRENDRE

3. Indiquez si chacun des énoncés suivants est vrai ou faux. Rectifiez l'énoncé lorsqu'il est faux.

   a) La quantité d'énergie thermique contenue dans un objet dépend de la masse de l'objet.

   Vrai _____

   b) La quantité d'énergie thermique contenue dans un objet ne dépend pas de la nature de la substance qui forme l'objet.

   Faux *elle dépend de sa nature* _____

   c) Dans un transfert d'énergie, si la variation de température est négative, c'est que le corps a absorbé de la chaleur au cours du transfert.

   Faux ⌐→ *à dégager* _____

UM 6.9

4. Répondez aux questions suivantes à l'aide du tableau ci-contre.

   a) Quelle substance de ce tableau est la plus difficile à réchauffer, c'est-à-dire celle à laquelle il faut fournir le plus d'énergie pour augmenter sa température de 1 °C ?

    *C'est l'eau (plus grand)*

   b) Quelle substance de ce tableau est la plus facile à réchauffer, c'est-à-dire celle à laquelle il faut fournir le moins d'énergie pour augmenter sa température de 1 °C ?

   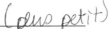 *C'est le plomb (plus petit)*

La capacité thermique massique de différentes substances

Substances	Capacité thermique massique (J/g °C)
Aluminium	0,90
Argent	0,24
Béton	2,10
Calcium	0,65
Cuivre	0,39
Eau	4,19
Éthylène glycol	2,20
Fer	0,44
Glace	2,01
Magnésium	1,02
Nickel	0,44
Plomb	0,16
Soufre	0,73
Zinc	0,39

c) Quelle quantité d'énergie doit-on fournir pour faire passer la température de 250 g d'eau de 20 °C à 100 °C?

$$Q = mC\Delta t \qquad \Delta t = 100 - 20 = 80°$$
$$Q = 250 \text{ g} \times 4{,}19 \text{ J/g/C} \times 80°$$
$$= 83\ 800 \text{ J}$$

Réponse: _83 800 J_

d) Quelle quantité de chaleur doit-on fournir pour faire passer la température de 1 000 g de plomb de 20 °C à 150 °C?

$$Q = mc\Delta t \qquad \Delta t = 150 - 20 = 130°$$
$$= 1000 \text{ g} \times 0{,}16 \text{ J/g/C} \times 130°$$
$$= 20\ 800 \text{ J}$$

Réponse: _20 800 J_

**UM
6.9**

e) Quelle quantité de chaleur dégageront 2 500 g d'éthylène glycol en se refroidissant de 200 °C à 30 °C?

$$Q = mC\Delta t \qquad \Delta t = 30 - 200 = -170°$$
$$= 2500 \text{ g} \times 2{,}2 \text{ J/g/C}° \times (-)70°$$
$$= 935\ 000 \text{ J} \quad \leftarrow \quad ?$$

Réponse: _935 000 J_

f) Si la température initiale de 500 g de cuivre est de 20 °C et qu'on lui fournit 10 000 J de chaleur, quelle température le cuivre atteindra-t-il ? La capacité thermique massique du cuivre est de 0,39 J/g °C.

Laissez des traces de votre démarche.

$$10\,000 = 500g \times 0,39\ J/g°C \times x$$

$$x = 51,28\ °C$$

$$51,28 + 20 = 71,28° = \Delta t$$

$$Q = mc\Delta t$$

Réponse : 71,28° C

g) Quelle est la masse d'un bloc de fer qui, chauffé de 30 °C à 300 °C, dégage 50 000 J de chaleur ? La capacité thermique massique du cuivre est de 0,44 J/g °C.

Laissez des traces de votre démarche.

$$50\,000\ J = m \times 0,44\ J/g°C \times 270\ °C \qquad \Delta t = 300 - 30 = 270°C$$

$$m = 420,88\ g$$

$$Q = mc\Delta t$$

Réponse : 420,88 g

CONCEPT 8.1

 Manuel, p. 174 à 179

La charge électrique

Des termes à CONNAÎTRE

1. Associez chaque terme à sa définition.

- Charge électrique
- Semi-conducteur
- Conducteur électrique
- Supraconducteur
- Isolant électrique

Propriété de la matière dont on distingue deux types : la charge positive, qui est celle du proton, et la charge négative, qui est celle de l'électron.	
Mauvais conducteur électrique dont on peut augmenter la conductivité si on y insère des impuretés.	
Substance à l'intérieur de laquelle les charges électriques ne peuvent pas se déplacer.	
Substance qui conduit l'électricité presque sans aucune contrainte lorsqu'elle est suffisamment refroidie.	
Substance dans laquelle les charges électriques peuvent se déplacer aisément.	

UM
8.1

2. Vrai ou faux ?

	Vrai	Faux

a) Deux charges positives s'attirent.

b) Une charge positive et une charge négative s'attirent.

c) Un objet neutre peut être attiré par des objets chargés positivement ou négativement.

3. Complétez les phrases suivantes en indiquant si elles décrivent des **isolants électriques**, des **conducteurs électriques**, des **semi-conducteurs** ou des **supraconducteurs**.

a) Le courant électrique ne peut pas passer dans le verre, le plastique et le coton. Ces substances sont donc des _____.

b) Le carbone (C) et le silicium (Si) ne laissent passer le courant électrique que si on leur ajoute des impuretés. Ce sont des _____.

c) Le niobium (Nb) et l'étain (Sn) conduisent l'électricité sans perte s'ils sont refroidis à très basse température. Ce sont des _____.

d) Le cuivre (Cu) et l'aluminium (Al) sont souvent utilisés dans la fabrication de fils électriques. Ce sont des _____.

4. Il y a trois façons de charger électriquement un objet : par **frottement**, par **contact** et par **induction**. Associez chacun de ces termes aux descriptions suivantes.

   a) Lorsqu'on fait se toucher un objet neutre et conducteur avec un objet chargé, on charge le premier objet par _____ .

   b) Quand on approche un objet chargé électriquement d'un objet neutre et conducteur sans qu'il n'y ait de contact, l'objet neutre est chargé par _____ .

   c) Lorsqu'on frotte l'un contre l'autre deux objets composés de matériaux différents, on les charge par _____ .

5. Comment nomme-t-on l'appareil muni de deux feuilles de métal très minces suspendues à une tige, également en métal, qui peut servir à révéler la présence de charge électrique sur un objet ?

   _____

UM 8.1

6. Un objet chargé électriquement est en déficit ou en surplus d'électrons.

   a) Nommez l'unité de mesure de la charge électrique.

   _____

   b) Quelle est la valeur d'une de ces unités ?

   _____

Des concepts à COMPRENDRE

7. Voici quatre paires de tiges chargées électriquement. Indiquez pour chacune si les tiges **s'attireront** ou **se repousseront**.

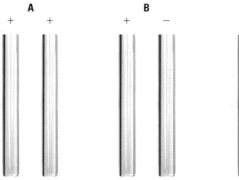

A: Les deux tiges _____ .   B: Les deux tiges _____ .

C: Les deux tiges _____ .   D: Les deux tiges _____ .

8. À l'aide de la série électrostatique ci-contre, complétez le tableau. Indiquez dans la colonne de droite les objets qui auront une charge négative après le frottement.

Une série électrostatique partielle

Faible attraction des électrons

Acétate
Verre
Laine
Cheveux humains
Calcium
Soie
Aluminium
Zinc
Coton
Paraffine
Ébonite (plastique)
Cuivre, nickel
Caoutchouc
Ambre
Soufre
Platine, or

Forte attraction des électrons

Objets frottés ensemble	Objet qui aura une charge négative
Verre et soie	
Caoutchouc et cheveux	
Or et laine	
Ambre et aluminium	
Zinc et coton	

9. Vous frottez vigoureusement un ballon de caoutchouc sur vos cheveux durant une dizaine de secondes, puis vous approchez le ballon d'un mur. Le ballon semble « coller » au mur. En fait, il y est attiré par des charges électriques.

À l'aide du tableau de la série électrostatique de la question 8, répondez aux questions suivantes.

a) Après avoir frotté le ballon sur vos cheveux, seront-ils chargés positivement ou négativement ? _____

b) Le ballon sera-t-il chargé positivement ou négativement ? _____

c) Le mur autour du ballon sera-t-il chargé positivement ou négativement ? _____

UM
8.1

10. En rentrant à la maison, Julie frotte ses pieds chaussés de sandales de plastique sur le tapis de laine du hall d'entrée. Elle touche ensuite au robinet dans la cuisine. Julie reçoit alors une décharge électrique (un petit choc).

a) En se frottant les pieds sur le tapis avec ses sandales, Julie a-t-elle acquis une charge positive ou négative ? _____

b) Quand Julie a touché au robinet, dans quel sens se sont déplacés les électrons ? Du robinet aux doigts de Julie ou de ses doigts au robinet ? _____

11. Le schéma ci-dessous illustre ce qui se produit quand on charge par contact un électroscope avec deux tiges respectivement chargées positivement et négativement.
Dans ce schéma, pour les situations A et B :

- dessinez la position des deux feuilles de métal de l'électroscope après le contact avec la tige ;

- dessinez une flèche montrant le sens du trajet des électrons entre la tête de l'électroscope et la tige chargée.

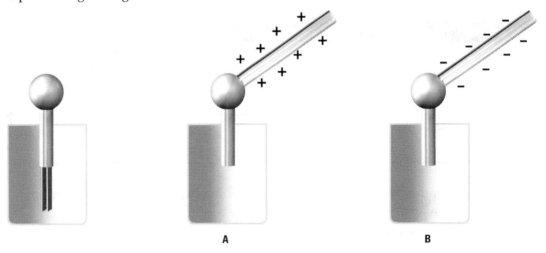

         A   **B**

12. Le schéma ci-dessous montre la charge d'un électroscope par induction.

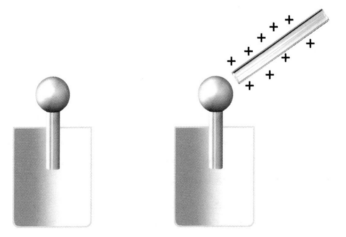

Dans ce schéma :

a) dessinez la position des deux feuilles de métal avant et après l'induction.

b) quelles charges seront attirées vers la tête de l'électroscope ?

_____

c) quelles charges se retrouveront principalement sur les deux feuilles de métal ?

_____

CONCEPT 8.2

Manuel, p. 180 à 182

L'électricité statique

Des termes à CONNAÎTRE

1. L'électricité peut prendre différentes formes. Comment se nomme la forme d'électricité qui apparaît à la suite de frottements entre des substances ou des matériaux ?

   _____

2. Donnez deux exemples tirés de la vie courante dans lesquels l'électricité statique est produite.

   _____

   _____

   _____

   _____

UM 8.2

3. Les affirmations suivantes concernent un nuage d'orage qui produit des éclairs. Indiquez si ces affirmations sont vraies ou fausses.

	Vrai	Faux
a) Dans ce type de nuage, il y a des gouttes d'eau, des cristaux de glace et du grésil.	☐	☐
b) Les cristaux de glace sont plus lourds que les autres composantes du nuage.	☐	☐
c) Les cristaux de glace et le grésil se frottent l'un contre l'autre en tombant.	☐	☐
d) Le grésil tombe plus vite que les cristaux de glace.	☐	☐
e) Les cristaux de glace se trouvent dans la partie inférieure du nuage.	☐	☐
f) Le grésil acquiert une charge positive.	☐	☐
g) Les cristaux de glace acquièrent une charge positive.	☐	☐
h) Pendant l'orage, le sol devient chargé positivement.	☐	☐
i) La décharge des électrons se fait du nuage vers la terre, ce qui produit un éclair.	☐	☐
j) Pendant l'orage, l'air ionisé qu'on appelle « plasma » devient lumineux.	☐	☐

4. Laquelle des situations suivantes produit de l'électricité statique ? Entourez la bonne réponse.

   a) On frotte ensemble deux matériaux conducteurs de nature différente.

   b) On frotte ensemble un matériau conducteur et un matériau isolant.

   c) On frotte ensemble deux matériaux isolants de nature différente.

5. Comment se nomme l'air ionisé rendu visible par le passage d'un éclair ?

   _____

Des concepts à COMPRENDRE

6. Si beaucoup d'électricité statique est accumulée dans un objet et qu'on l'approche d'un conducteur, l'objet se déchargera brusquement de sa charge électrique en crépitant.

   Quelle manifestation visuelle pourra-t-on observer à ce moment ?

   _____

UM 8.2

7. Certaines personnes conseillent parfois de passer un cintre métallique sur les vêtements pour enlever l'électricité statique qu'ils contiennent.

   Laquelle des explications suivantes justifie l'emploi d'un cintre métallique ? Entourez la bonne réponse.

   a) La forme du cintre permet de recueillir les charges électriques.

   b) Le métal du cintre étant un bon conducteur, le vêtement s'y décharge de son électricité statique.

   c) Le cintre contient des charges positives qui annulent les charges du vêtement.

8. Les vêtements qu'on a séchés au sèche-linge « collent » souvent ensemble à cause de l'électricité statique. Par contre, des vêtements humides ne « collent » pas ensemble.

   Lesquelles des affirmations suivantes sont vraies et peuvent expliquer cette différence ? Entourez les bonnes réponses.

   a) L'électricité statique ne peut pas s'emmagasiner dans un corps qui est conducteur et qui n'est pas parfaitement isolé.

   b) Un objet, même faiblement conducteur, produit de l'électricité statique.

   c) L'eau que contiennent des vêtements humides est un conducteur.

   d) Plus le taux d'humidité est grand, plus il y aura d'électricité statique.

9. Voici le schéma d'un nuage d'orage. Sur ce schéma :

a) indiquez si les charges situées dans la partie inférieure du nuage et celles qui sont au sol sont positives ou négatives ;

b) dessinez un éclair là où il est le plus probable qu'il se produise ;

c) dessinez une flèche indiquant le sens de la décharge électrique de l'éclair.

UM 8.2

10. Pour nettoyer le pied en cuivre d'une lampe, vous le frottez avec un morceau de tissu en coton. Puisque ce pied de lampe métallique est isolé, il se charge d'électricité statique. Quelle est la charge électrique du pied de la lampe ? Expliquez votre réponse.

_____

_____

_____

CONCEPT 8.3

Manuel, p. 183 et 184

La loi de Coulomb STE

Des termes à CONNAÎTRE

1. Selon la loi de Coulomb, la force d'attraction ou de répulsion entre deux corps chargés et immobiles dépend des charges impliquées et de la distance entre elles. Lesquelles des affirmations suivantes sont vraies ? Entourez les bonnes réponses.

    La force d'attraction ou de répulsion entre deux corps chargés et immobiles est :

    a) directement proportionnelle au carré de la distance entre les corps ;

    b) inversement proportionnelle au carré de la distance entre les corps ;

    c) directement proportionnelle au produit des charges ;

    d) inversement proportionnelle au produit des charges.

2. Voici la loi de Coulomb traduite en équation. $F_E = \dfrac{kq_1q_2}{r^2}$

    Lequel des symboles de l'équation représente chacune des variables décrites ci-dessous ?

    a) La force électrique qui s'exerce entre les corps chargés, exprimée en newtons (N), est représentée par le symbole _____.

    b) La constante de Coulomb, équivalant à $9 \times 10^9 \, Nm^2/C^2$, est représentée par le symbole _____.

    c) Les valeurs respectives des charges, exprimées en coulombs (C), sont représentées par les symboles _____.

    d) La distance séparant les charges, exprimée en mètres (m), est représentée par le symbole _____.

Des concepts à COMPRENDRE

3. Indiquez si chacun des énoncés suivants est vrai ou faux. Rectifiez l'énoncé lorsqu'il est faux.

    a) Plus la valeur des charges des corps est grande, plus la force électrique entre les deux sera grande.

    ⬭ _____
    _____

b) Plus deux corps de charges opposées sont près l'un de l'autre, plus la force électrique entre les deux sera grande.

```
┌─────────┐  _____
│         │
└─────────┘  _____
```

c) Soit deux corps qui ont une force d'attraction entre eux. Si on réduit la distance entre les deux corps de moitié, la force d'attraction deviendra quatre fois plus petite.

```
┌─────────┐  _____
│         │
└─────────┘  _____
```

4. La distance entre deux particules chargées électriquement double, puis elle triple. Précisez si la force d'attraction ou de répulsion entre ces deux particules augmentera ou diminuera, et dans quelle proportion. Exprimez cette proportion en fraction ($\frac{1}{2}$, $\frac{1}{3}$, $\frac{1}{4}$, etc.).

a) Quand la distance double, la force _____ à _____ de la force initiale.

b) Quand la distance triple, la force _____ à _____ de la force initiale.

UM
8.3

Des problèmes à RÉSOUDRE

5. Quelles sont l'intensité et la nature de la force électrique qui s'exerce entre une particule de charge positive de 8×10^{-8} C et une autre de charge négative de 6×10^{-8} C ? Les particules sont à 5 cm de distance.

Laissez des traces de votre démarche.

```
┌──────────────────────────────────────────────────────────────┐
│                                                                │
│                                                                │
│                                                                │
│                                                                │
│                                                                │
│                                                                │
│                                                                │
│  Intensité : _____                      │
│  Nature : _____        │
└──────────────────────────────────────────────────────────────┘
```

6. Quelles sont l'intensité et la nature de la force électrique qui s'exerce entre deux corps de charge négative de 4×10^{-8} C et de 3×10^{-7} C respectivement, si les corps sont à 20 cm de distance ?

Laissez des traces de votre démarche.

Intensité : _____

Nature : _____

7. Deux corps sont chargés de signes opposés. L'un a une charge de 4×10^{-8} C. Les deux corps sont à une distance de 10 cm l'un de l'autre et l'intensité de la force électrique (F_E) qui s'exerce sur eux est de 1×10^{-3} N.

Calculez la charge du deuxième corps. Laissez des traces de votre démarche.

Réponse : _____

CONCEPT 8.4

Manuel, p. 185 et 186

Le champ électrique STE

Des termes à CONNAÎTRE

1. Complétez la phrase à l'aide des termes suivants.

- champ
- corps
- force
- région

Le _____ électrique est une _____ de l'espace où

une _____ électrique créée par un corps chargé électriquement peut

s'exercer sur un autre _____ chargé.

2. L'équation $E = \dfrac{kq_1}{r^2}$ permet de calculer l'intensité d'un champ magnétique si on connaît la distance qui sépare la charge d'un point donné, la valeur de la charge de la source et la constante de Coulomb.

Indiquez à quoi correspond chacun des symboles de l'équation.

E	k	q_1	r

UM
8.4

Des concepts à COMPRENDRE

3. Voici quatre schémas qui illustrent des champs électriques.

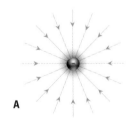
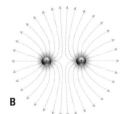
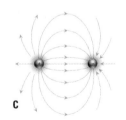
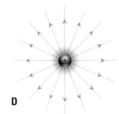

A **B** **C** **D**

a) Le champ électrique de charges positives est représenté par le schéma _____.

b) Le champ électrique de charges négatives est représenté par le schéma _____.

c) Le champ électrique entre deux charges positives est représenté par le schéma _____.

d) Le champ électrique entre deux charges de signes opposés est représenté

par le schéma _____.

4. À l'aide de l'équation suivante, complétez le tableau.

$$E = \frac{kq_1}{r^2}$$

Valeur de charge q_1 (C)	Distance d'un point quelconque à la charge (cm)	Intensité E (N/C)
$1{,}77 \times 10^{-5}$	10	
$1{,}77 \times 10^{-5}$	20	
$1{,}77 \times 10^{-5}$	30	
$1{,}77 \times 10^{-5}$	40	

UM 8.4

Calcul:

Reportez les valeurs trouvées pour E dans le graphique ci-dessous.

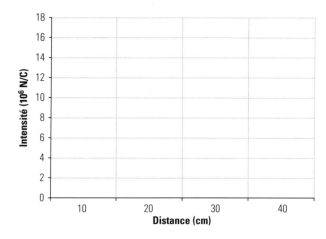

CONCEPT 8.5

 Manuel, p. 187 à 189

Les circuits électriques

Des termes à CONNAÎTRE

1. Associez les termes à leur définition.

   • Circuit électrique   • Circuit en parallèle   • Circuit en série   • Courant électrique

   a) Un flux de charges électriques (électrons libres) qui se déplacent dans un conducteur. _____

   b) Un ensemble de composantes électriques interreliées parcourues par un courant électrique. _____

   c) Il offre un seul chemin au passage du courant électrique. _____

   d) Il offre plusieurs chemins au passage du courant électrique. _____

   UM
   8.5

2. Dans les espaces prévus dans le tableau, dessinez les symboles normalisés des différentes composantes des circuits électriques.

Fusible	Ampoule	Génératrice à courant alternatif	Voltmètre	Interrupteur (fermé)	Batterie
Ampèremètre	Interrupteur (ouvert)	Pile	Moteur	Résisteur	Conducteur

3. Complétez les phrases à l'aide des termes suivants.

   • boucle unique   • chemins   • circuit en parallèle
   • conducteurs   • courant total   • source d'alimentation

   a) Pour former un circuit en série, on raccorde les différentes composantes avec des _____ en formant une _____, de sorte que le courant traverse les composantes l'une après l'autre avant de revenir à la _____.

   b) Un _____ offre plusieurs _____ au passage du courant électrique. Le _____ y est alors divisé, et une partie des charges circule dans chaque branche du circuit.

4. Voici deux circuits électriques. Répondez aux questions en vous servant des illustrations.

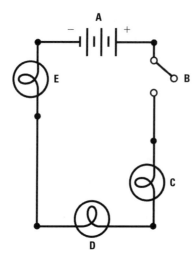

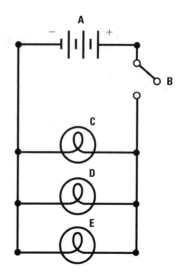

a) Le circuit de gauche est-il un circuit en série ou en parallèle ?

_____

b) Le circuit de droite est-il un circuit en série ou en parallèle ?

_____

c) Donnez le nom des composantes suivantes :

A: _____

B: _____

C: _____

d) Dans le circuit de gauche, si on ferme l'interrupteur et que la composante D ne fonctionne plus, qu'arrivera-t-il aux composantes C et E ?

_____

e) Dans le circuit de droite, si on ferme l'interrupteur et que la composante D ne fonctionne plus, qu'arrivera-t-il aux composantes C et E ?

_____

Des problèmes à **RÉSOUDRE**

5. Dessinez ci-dessous le schéma d'un circuit en série qui aurait les composantes suivantes : une batterie, un interrupteur ouvert, un fusible et un moteur.

6. Dessinez ci-dessous le schéma d'un circuit ayant les caractéristiques suivantes :

- il est alimenté par une génératrice à courant alternatif à la suite de laquelle on trouve un interrupteur fermé ;
- il comporte, en parallèle, les trois composantes suivantes : une ampoule, un moteur et un résisteur.

UM 8.5

CONCEPT 8.6

 Manuel, p. 190 à 195

La loi d'Ohm

Des termes à CONNAÎTRE

UM
8.6

1. Associez les termes à leur définition.

- La loi d'Ohm
- Le courant électrique
- La résistance électrique
- Le potentiel électrique
- La tension électrique
- L'intensité du courant

a) La difficulté que rencontre le courant électrique à traverser une composante. _____

b) La quantité de charges électriques qui passent dans un conducteur pendant un intervalle de temps donné. _____

c) L'énergie qui peut être fournie par des charges qui circulent dans un courant électrique. _____

d) On l'appelle aussi « différence de potentiel » ; elle correspond à la différence entre l'énergie des charges à l'entrée et à la sortie d'une composante. _____

e) La loi qui stipule que la quantité de courant qui circule dans un circuit, et par conséquent la quantité d'énergie qui peut être distribuée à la composante de ce circuit, dépend de deux facteurs : la tension électrique fournie par la source et la résistance électrique du circuit. _____

f) Un flux de charges électriques portées par les électrons libres des atomes dont sont constitués les conducteurs. _____

2. Parmi les caractéristiques suivantes, indiquez celles qui se rapportent au courant continu (c.c.) et celles qui se rapportent au courant alternatif (c.a.).

	c.c.	c.a.
a) Se déplace dans un seul sens, de la source vers un appareil qu'il traverse pour compléter une boucle et retourner vers la source.	☐	☐
b) Est obtenu par une génératrice, comme celles qu'on utilise dans les centrales électriques.	☐	☐
c) Est produit par des sources d'alimentation telles les piles et les batteries.	☐	☐

3. Quel est le sens conventionnel du courant ?

_____

Des concepts à COMPRENDRE

4. Complétez les phrases à l'aide des termes suivants.

- ampèremètre
- en parallèle
- en série
- voltmètre

a) On peut mesurer directement l'intensité du courant électrique en branchant un

_____ _____ dans un circuit.

b) On peut mesurer directement la tension électrique en branchant un

_____ _____ aux bornes d'une composante

d'un circuit.

5. On compare souvent le courant électrique à l'eau. Si on ouvre le robinet du système illustré ci-contre et qu'en 80 s il s'écoule 40 L d'eau, il s'écoulera donc 0,5 L/s.

En électricité, q est la quantité de charges électriques totales qui passent dans un conducteur pour un temps donné (Δt). L'intensité du courant (I) est la quantité de charges électriques qui passent dans un conducteur en une seconde.

En utilisant l'analogie de l'eau et la formule qui suit, indiquez à quoi on peut comparer q, I et Δt.

$$I = \frac{q}{\Delta t}$$

Électricité (Symbole de la formule)	Analogie avec l'eau
Δt	
q	
I	

6. Donnez le nom et l'unité de mesure (symbole) qui correspondent à chaque définition.

Définition	Nom	Unité de mesure (symbole)
Charge électrique qui traverse un conducteur.		
Différence entre l'énergie des charges à l'entrée et à la sortie d'une composante d'un circuit électrique.		
Opposition rencontrée par le flux de charges électriques le long du circuit.		
Quantité de charges électriques qui traversent un conducteur pendant un intervalle de temps donné.		

7. Une radio est traversée par un courant de 0,1 A. Si elle fonctionne pendant 20 min, quelle sera la charge électrique totale utilisée ?

Laissez des traces de votre démarche.

Réponse : _____

UM 8.6

8. Un téléviseur est traversé par une charge électrique de 1 800 C. S'il fonctionne durant 1 h, quelle sera l'intensité du courant électrique (I) qui le traverse ?

Laissez des traces de votre démarche.

Réponse : _____

9. Une veilleuse est traversée par une charge de 24 C. Si le courant est de $1,2 \times 10^{-2}$ A, durant combien de minutes fonctionnera-t-elle ?

Laissez des traces de votre démarche.

Réponse : _____

10. Quelle est la tension électrique aux bornes d'un amplificateur de système de son si une charge de 200 C lui transfère une énergie de 2 400 J?

Laissez des traces de votre démarche.

Réponse: _____

11. Un projecteur lumineux transfère 5 J d'énergie à l'aide d'une différence de potentiel de 240 V. Quelle quantité de charge est utilisée dans ces conditions?

Laissez des traces de votre démarche.

UM
8.6

Réponse: _____

12. Une ampoule électrique reliée à une source de 120 V est traversée par un courant de 0,5 A. Quelle doit être la résistance de l'ampoule?

Laissez des traces de votre démarche.

Réponse: _____

13. Une ampoule de lampe de poche ayant une résistance de 2,5 Ω est traversée par un courant de 1,2 A. Quelle est la tension aux bornes de l'ampoule?

Laissez des traces de votre démarche.

Réponse: _____

UM
8.6

14. Quelle est l'énergie consommée par un séchoir à cheveux traversé par un courant de 5 A qui fonctionne pendant 4 min sous une tension de 120 V?

Laissez des traces de votre démarche.

Réponse: _____

CONCEPT 8.7

 Manuel, p. 196 à 202

Les lois de Kirchhoff STE

Des termes à CONNAÎTRE

1. Associez chaque terme à sa définition.

| Dans un circuit fermé, un trajet complet qui permet aux charges de revenir à leur point de départ. | Boucle |

| La résistance totale d'un circuit. | Nœud |

| Un point où un circuit se sépare en deux branches ou plus, ou encore un point où deux branches ou plus se rejoignent pour former une seule branche. | Résistance équivalente |

2. Vrai ou faux ?

	Vrai	Faux
a) Les lois de Kirchhoff permettent de calculer les valeurs de l'intensité du courant (I) et de la tension électrique (U) dans les circuits en série et dans les circuits en parallèle.	☐	☐
b) La première loi de Kirchhoff concerne la tension du courant.	☐	☐
c) La deuxième loi de Kirchhoff concerne l'intensité du courant.	☐	☐
d) Le terme « loi des courants » est un autre terme pour parler de la première loi de Kirchhoff.	☐	☐
e) Le terme « loi des tensions » est un autre terme pour parler de la deuxième loi de Kirchhoff.	☐	☐

Des concepts à COMPRENDRE

Les questions 3 à 10 se rapportent aux deux schémas suivants.

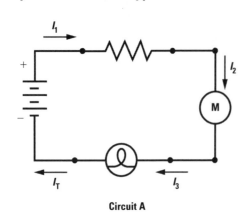

Circuit A

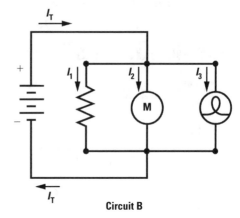

Circuit B

3. Lequel des deux circuits est un circuit en parallèle? _____

UM 8.7

4. Lequel des deux circuits est un circuit en série? _____

5. Complétez la phrase suivante.

Dans le circuit en parallèle illustré, il y a _____ nœud(s) et _____ branche(s).

6. Dans lequel des deux circuits l'intensité du courant (I) est-elle la même, quel que soit l'endroit où on la mesure? _____

7. Dans lequel des deux circuits l'intensité du courant (I) peut-elle varier selon l'endroit où on la mesure? _____

Des problèmes à RÉSOUDRE

8. La première loi de Kirchhoff concerne l'intensité du courant (I) dans les circuits électriques.

Quelle sera la valeur de I_T en ampères, dans chacun des deux circuits illustrés, si $I_1 = 10$ A, $I_2 = 10$ A et $I_3 = 10$ A?

• Circuit A:

Réponse: _____

- Circuit B:

> Réponse: _____

9. Quelle sera la valeur de I_T dans le circuit B si l'intensité du courant qui traverse le moteur est de 5 A, celle qui traverse le résisteur, de 9 A et celle qui traverse l'ampoule, de 2 A?

> Réponse: _____

UM
8.7

10. Dans le circuit B, quelle sera l'intensité du courant I_2 qui traverse le moteur si I_T = 11 A, I_1 = 6 A et I_3 = 4 A?

> Réponse: _____

Les questions 11 à 13 concernent les deux schémas suivants.

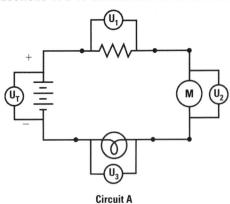

Circuit A

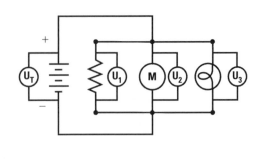

Circuit B

11. La deuxième loi de Kirchhoff concerne la tension électrique.

Quelle sera la tension U_T aux bornes de la batterie dans chacun des deux circuits si $U_1 = 10$ V, $U_2 = 10$ V et $U_3 = 10$ V ?

- Circuit A :

Réponse : _____

- Circuit B :

Réponse : _____

12. Dans le circuit A, quelle sera la tension aux bornes de la batterie si la tension mesurée aux bornes du résisteur (U_1) est de 12 V, celle mesurée aux bornes du moteur (U_2) est de 8 V et celle mesurée aux bornes de l'ampoule (U_3) est de 4 V ?

Réponse : _____

13. Dans le circuit A, si la tension aux bornes de la batterie (U_T) est de 12 V, que la tension (U_1) mesurée aux bornes du résisteur est de 6 V et que celle mesurée aux bornes du moteur (U_2) est de 4 V, quelle est la tension (U_3) mesurée aux bornes de l'ampoule?

Réponse: _____

14. Selon les lois de Kirchhoff et d'Ohm, on peut déterminer la résistance équivalente d'un circuit comprenant diverses composantes en série ou en parallèle. Voici deux circuits. L'un est en série et l'autre, en parallèle.

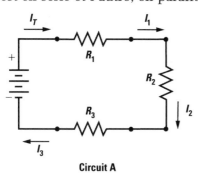

Circuit A

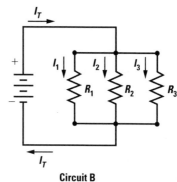

Circuit B

UM 8.7

a) Quelle serait la résistance équivalente du circuit A si les valeurs respectives de R_1, R_2 et R_3 étaient de 2 Ω, 4 Ω et 5 Ω?

Réponse: _____

b) Quelle serait la résistance équivalente du circuit B si les valeurs respectives de R_1, R_2 et R_3 étaient de 2 Ω, 4 Ω et 5 Ω?

Réponse: _____

15. Voici un circuit en série. À l'aide des données fournies dans le schéma, répondez aux questions en tenant compte des lois de Kirchhoff et d'Ohm.

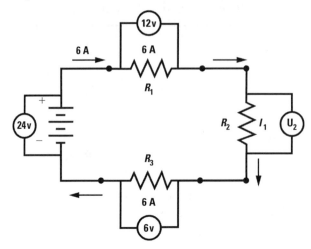

a) Quelle est la valeur de l'intensité du courant *I* qui traverse le résisteur R_2 ? Justifiez votre réponse.

UM
8.7

b) Quelle est la valeur de la tension U_2 aux bornes du résisteur R_2 ?

Réponse : _____

c) Donnez la valeur de chacun des résisteurs R_1, R_2 et R_3.

Réponse : _____

d) Donnez la valeur de la résistance équivalente de tout le circuit.

Réponse : _____

16. Voici un circuit en parallèle. À l'aide des données fournies dans le schéma, calculez les différentes valeurs en tenant compte des lois de Kirchhoff et d'Ohm.

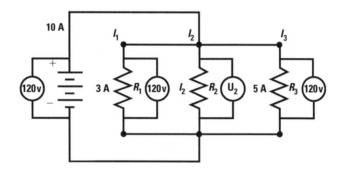

a) La valeur de U_2 :

Réponse : _____

b) La valeur de I_2 :

Réponse : _____

c) La valeur de R_1 :

> **Réponse :** _____

d) La valeur de R_2 :

> **Réponse :** _____

e) La valeur de R_3 :

> **Réponse :** _____

f) La valeur de la résistance équivalente des résisteurs :

> **Réponse :** _____

CONCEPT 8.8

 Manuel, p. 203 et 204

La relation entre la puissance et l'énergie électrique

Des termes à CONNAÎTRE

1. Complétez la phrase à l'aide des termes suivants.

   • appareil   • quantité   • puissance   • unité

   La _____ électrique est la _____ d'énergie électrique

   consommée ou fournie par un _____ électrique, par _____

   de temps.

UM
8.8

Des concepts à COMPRENDRE

2. La puissance en watts peut se traduire par la formule suivante : $P = UI$.

   a) Dans cette formule, indiquez lequel des symboles représente **la tension électrique**, **la puissance électrique** et **l'intensité du courant**.

   b) Donnez pour chacun des symboles le nom de l'unité de mesure.

Symbole	Ce que le symbole représente	Unité de mesure
P		
U		
I		

Des problèmes à RÉSOUDRE

3. Dans votre chambre, une plinthe électrique assure le chauffage. Vous pouvez lire les indications ci-contre sur l'appareil.

   À l'aide de ces renseignements, calculez l'intensité du courant qui traverse l'appareil.

   | 240 V | 60 Hz |
   | 1 500 W | Nº série : 12345 |

   Réponse : _____

CONCEPT 9.1

 Manuel, p. 210 à 214

Les forces d'attraction et de répulsion

Des termes à CONNAÎTRE

UM 9.1

1. Nommez les deux forces magnétiques.

   les forces d'attraction et les forces de répulsion

2. De quels éléments sont constituées les substances magnétiques?

   constituées d'éléments ferromagnétiques ex: fe Co, Ni, Gd ...

3. Complétez les phrases à l'aide des termes suivants.

   • magnétiques   • non magnétiques   • non permanent   • permanent

   a) Les substances _non magnétiques_ ne contiennent aucun élément
   ferromagnétique, alors qu'à l'inverse les substances _magnétiques_
   en contiennent.

   b) Il y a deux sortes de substances magnétiques: les aimants, qui sont dotés de
   ferromagnétisme _permanent_, et les substances attirées par les
   aimants, qui ont un ferromagnétisme _non permanent_.

4. Quelle substance permet de visualiser les lignes d'un champ magnétique?

   la limaille de fer

5. Comment se nomment les deux extrémités magnétiques d'un aimant?

   des pôles magnétiques : pôle nord & pôle sud

6. Si on place face à face les pôles de deux aimants, comment se comporteront-ils:

   a) si les deux pôles sont identiques? _Ils se repoussent_

   b) si les deux pôles sont différents? _Ils s'attirent_

7. Nommez deux utilités d'une boussole. _permet de :_
   - s'orienter grâce au champs magnétique terrestre
   - connaître la nature des pôles d'un aimant.

8. Si on frotte un aimant assez longtemps et toujours dans le même sens sur un objet ferro-magnétique non permanent comme la pointe d'un tournevis, cet objet se comportera comme un aimant. Comment nomme-t-on ce type d'aimant ?

   _____ un aimant induit _____

9. Vrai ou faux ? Dans la théorie des domaines magnétiques, les atomes des substances qui possèdent un ferromagnétisme non permanent se comportent comme des aimants infiniment petits qui ont leurs pôles nord et sud. Justifiez votre réponse.

   Vrai. des atomes ont chacun des petits pôles nord et sud
   qui peuvent être attirer ou repausser par un aimant.

10. Comment se nomme l'espace non visible qui entoure un aimant et à l'intérieur duquel les forces magnétiques peuvent s'exercer sur d'autres aimants ou sur des substances ferromagnétiques ?

    _____ un champs Magnétique _____

Des concepts à COMPRENDRE

UM 9.1

11. Dans un pot en verre, se trouvent plusieurs vis de différents alliages métalliques. Certaines vis sont argentées, d'autres sont noires et d'autres, dorées. On plonge dans ce pot en verre un tournevis dont la pointe est aimantée. Quand on retire le tournevis, les vis argentées et les vis noires adhèrent à la pointe du tournevis, alors que les vis dorées restent au fond du pot. Quelles conclusions sur la nature des vis et du tournevis peut-on tirer de cette expérience ?

    À l'aide d'un trait, associez chaque objet de la colonne de gauche avec le type de substance dont il est composé. Au moins deux objets sont constitués du même type de substance.

a) Les vis argentées	Substance non magnétique
b) Les vis noires	Substance ferromagnétique permanente
c) Les vis dorées	Substance ferromagnétique non permanente
d) La pointe du tournevis	

12. On trouve dans les magasins une grande variété de petits objets qui adhèrent à la surface de la porte des réfrigérateurs.

    a) Diriez-vous que la porte des réfrigérateurs est faite d'une substance ferromagnétique permanente ou non permanente ?

       _____ non permanente _____

    b) L'objet qui adhère à la porte est-il fait d'une substance ferromagnétique permanente ou non permanente ?

       _____ permanente _____

13. On met en contact avec un aimant une pièce de monnaie de 5 ¢ et une pièce de 1 ¢. On sait que la pièce de 5 ¢ est en nickel (Ni) et que la pièce de 1 ¢ est en cuivre (Cu). À l'aide de l'illustration ci-dessous, répondez aux questions suivantes.

La disposition des atomes dans les pièces de monnaie

a) Lequel des deux schémas (A ou B) illustre comment les atomes de la pièce de 5 ¢ sont orientés ? _*B*_____

b) Lequel des deux schémas (A ou B) illustre comment les atomes de la pièce de 1 ¢ sont orientés ? _*B*_____

c) Si on frotte l'aimant toujours dans le même sens et suffisamment longtemps sur la pièce de 5 ¢, qu'arrivera-t-il à la pièce ? *aimant induit.*

On oriente de façon prolongée les pôles des atomes de l'objet qui contin
de se comporter comme un aimant, même lorsqu'on retire l'aim

d) Si on fait la même chose avec la pièce de 1 ¢, que se passera-t-il ?
rien, le cuivre est une substance non magnétique

e) Cochez la case qui correspond à la bonne caractéristique pour chacun des objets.

	Aimant	Pièce de 1¢	Pièce de 5¢
Non magnétique	☐	☑	☐
Ferromagnétique non permanent	☐	☐	☑
Ferromagnétique permanent	☑	☐	☐

14. Dans l'illustration ci-contre, le gros aimant du centre a été fixé à une table. Il ne peut donc pas se déplacer. Ensuite, on place successivement les aimants A, B, C et D, comme illustré, en les laissant libres de se déplacer.

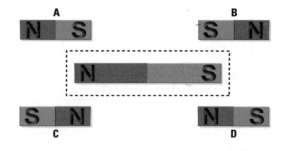

Indiquez si les pôles des aimants seront attirés ou repoussés par le gros aimant du centre.

a) Le pôle sud de l'aimant A sera-t-il attiré ou repoussé ? *attiré*

b) Le pôle sud de l'aimant B sera-t-il attiré ou repoussé ? *repoussé*

c) Le pôle nord de l'aimant C sera-t-il attiré ou repoussé ? *repoussé*

d) Le pôle nord de l'aimant D sera-t-il attiré ou repoussé ? *attiré*

UM 9.1

15. Sur la photographie ci-dessous, qui présente la Terre et quatre boussoles, montrez comment s'orienteront les aiguilles de chacune des quatre boussoles.

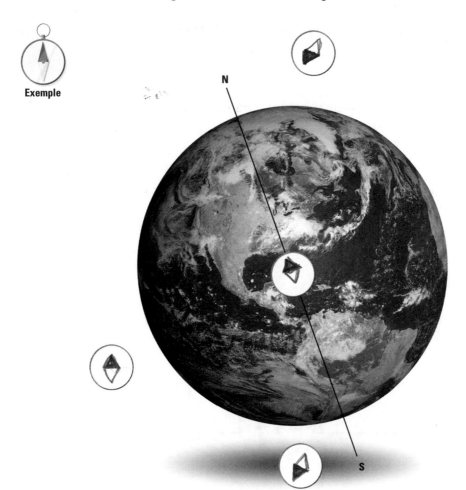

UM
9.1

16. Classez les objets de la liste suivante selon qu'ils contiennent ou non des éléments ferromagnétiques.

  a) Un poêlon en fonte

  ~~*b)* Une assiette en aluminium~~

  ~~*c)* Une poignée de porte en porcelaine~~

  d) Une cuiller en acier inoxydable

  e) Une trompette en laiton

  f) Une boîte de conserve

Objets magnétiques	Objets non magnétiques
a d e f	b c

 **CONCEPT 9.2**

 Manuel, p. 215

Le champ magnétique d'un fil parcouru par un courant

Des termes à CONNAÎTRE

1. Quelle règle permet de trouver l'orientation des lignes de champ dans un fil si on se sert du sens du courant conventionnel (I) ?

   _____

2. Quelle règle permet de trouver l'orientation des lignes de champ dans un fil si on se sert du sens de déplacement des électrons (e⁻) ?

   _____

UM 9.2

Des concepts à COMPRENDRE

3. Dans l'illustration ci-dessous, on a tracé des flèches montrant le sens du courant conventionnel (I) et le sens de déplacement des électrons (e⁻). Tracez une flèche représentant l'orientation des lignes de champ.

4. Dans les illustrations suivantes, dessinez des flèches indiquant le sens du courant conventionnel (I) ou du déplacement des électrons (e⁻), selon le cas.

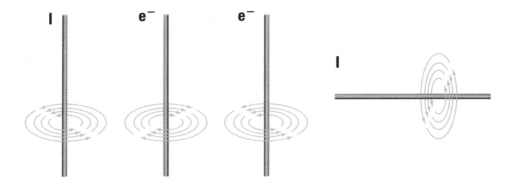

CONCEPT 9.3

Manuel, p. 216 à 218

Le champ magnétique d'un solénoïde STE

Des termes à CONNAÎTRE

1. Comment se nomme un bobinage de fil conducteur formé par une succession de spires enroulées à la manière d'un ressort?

   _____

2. Quels sont les deux avantages de l'électroaimant par rapport à l'aimant droit?

   _____

   _____

   _____

UM
9.3

3. Quels sont les quatre facteurs qui influent sur le champ magnétique d'un électroaimant?

   _____

   _____

4. Associez chaque règle à l'énoncé correspondant.

a) Les premières règles de la main gauche et de la main droite.	Le pouce pointe dans le même sens que les lignes de champ magnétique quand les doigts sont enroulés dans le sens du courant conventionnel.
b) Les deuxièmes règles de la main gauche et de la main droite.	Concernent des phénomènes qui se produisent dans un fil conducteur.
c) La première règle de la main droite.	Le pouce indique le sens du courant conventionnel.
d) La première règle de la main gauche.	Le pouce pointe dans le même sens que les lignes de champ magnétique quand les doigts sont enroulés dans le sens du déplacement des électrons.
e) La deuxième règle de la main droite.	Concernent des phénomènes qui se produisent dans un solénoïde.
f) La deuxième règle de la main gauche.	Le pouce indique le sens de déplacement des électrons.

Des concepts à COMPRENDRE

5. Louis veut construire un électroaimant très puissant. Pour y arriver, quels choix devra-t-il faire parmi les suivants?

   a) Former son solénoïde à partir de 100 spires.

   b) Former son solénoïde à partir de 1 000 spires.

   c) Faire un solénoïde ayant un diamètre de 10 cm.

   d) Faire un solénoïde ayant un diamètre de 1 cm.

   e) Utiliser un courant élevé.

   f) Utiliser un courant faible.

   g) Utiliser une tige de métal non ferromagnétique comme le cuivre (Cu) à l'intérieur du solénoïde.

   h) Utiliser une tige de métal ferromagnétique comme le fer doux (Fe) à l'intérieur du solénoïde.

UM 9.3

6. Dans l'illustration suivante:

   • tracez une flèche indiquant le sens du courant conventionnel;

   • déterminez où sont les pôles nord et sud du solénoïde.

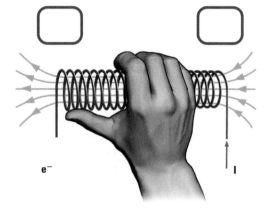

7. Voici quatre bobines sur lesquelles est indiqué le sens du courant conventionnel ou le sens du déplacement des électrons. Dans chaque cas, déterminez où sont les pôles nord et sud de la bobine.

Pôle _____   Pôle _____   Pôle _____

Pôle _____   Pôle _____   Pôle _____

Pôle   Pôle

TERRE ET ESPACE

CONCEPT 1.1

 Manuel, p. 232 à 235

Le flux d'énergie émis par le Soleil

Des termes à CONNAÎTRE

TE 1.1

1. Associez les termes à leur définition.

   - Angle d'incidence
   - Insolation
   - Énergie solaire
   - Lumière visible
   - Flux d'énergie émis par le Soleil
   - Zone intertropicale

   a) Ensemble du rayonnement électromagnétique qui s'échappe en permanence de la couche superficielle du Soleil pour se propager dans l'espace. _____

   b) Rayonnement solaire transmis sous forme d'ondes électromagnétiques de longueur variable. _____

   c) Quantité de rayonnement solaire reçue à la surface de la Terre. _____

   d) Partie de la Terre qui reçoit le plus d'énergie solaire dans une année. _____

   e) Partie du rayonnement électromagnétique qui compose la majeure partie de l'énergie solaire parvenant à la surface de la Terre. _____

   f) Angle formé par le rayonnement solaire incident et la perpendiculaire à la surface de la Terre. _____

2. Répondez aux questions à l'aide du schéma ci-dessous.

   a) De quel côté sont illustrées les plus grandes longueurs d'onde ? _____

   b) De quel côté sont illustrées les ondes qui transportent le plus d'énergie ? _____

3. Dans l'illustration ci-contre, à quel endroit (région A ou B) l'insolation est-elle la plus grande ?

   _____

Les variations de l'insolation selon la latitude

Des concepts à COMPRENDRE

4. Les appareils suivants émettent des ondes de différentes longueurs et de différentes intensités d'énergie.

   - Appareil à rayons X
   - Lampe de poche
   - Four micro-ondes
   - Poste de radio
   - Lampe à ultraviolets

   a) Classez ces appareils par ordre décroissant selon la longueur des ondes qu'ils émettent.

	Ondes très longues		⟷		Ondes très courtes
Appareils					

   b) Classez ces appareils par ordre croissant selon l'intensité d'énergie dégagée par les ondes qu'ils émettent.

	Énergie faible		⟷		Énergie élevée
Appareils					

5. Lesquels des facteurs suivants peuvent faire varier l'insolation ? Entourez les bonnes réponses.

   a) la couleur de la surface du sol

   b) la latitude terrestre

   c) l'altitude

   d) les nuages

   e) les volcans

   f) la glace des pôles

   g) la longitude

   h) la pollution de l'atmosphère

   i) les saisons

TE
1.1

6. Zoé orne un sapin de Noël d'ampoules de différentes couleurs. Elle en accroche des rouges, des bleues, des jaunes, des vertes, des orangées et des violettes. Ces ampoules émettent de la lumière qui possède une longueur d'onde caractéristique selon la couleur de l'ampoule. Dans le tableau ci-dessous, classez les ampoules de couleur par ordre croissant d'intensité d'énergie dégagée.

Énergie faible	
↕	
Énergie élevée	

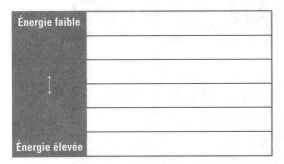

7. Calculez combien de temps il faut pour qu'un rayon solaire parvienne à la Terre, en sachant que le Soleil est à 150 millions de km de la Terre et que la lumière voyage à une vitesse de 300 000 km/s.

Réponse: _____

CONCEPT 1.2

Manuel, p. 236 à 239

Le système Terre-Lune

1. Dans le système Terre-Lune, les deux corps célestes sont liés par des interactions gravitationnelles. Quelle est la principale manifestation de ces interactions sur la Terre?

2. Dans le schéma ci-dessous, indiquez à quels endroits se trouvent les marées hautes et les marées basses.

Rotation de la Terre

3. Quelle est la distance moyenne entre la Lune et la Terre? _____

4. Quel corps céleste a le plus d'influence sur les marées: le Soleil ou la Lune? Justifiez votre réponse.

_____

5. Les illustrations ci-dessous montrent trois configurations Terre-Lune-Soleil. Pour chacune d'elles, indiquez si la marée engendrée sera une marée de vive-eau ou une marée de morte-eau.

a)

_____

b)

_____

c)

_____

6. Lesquels des facteurs ci-dessous ont une influence sur l'amplitude et le rythme des marées? Entourez les bonnes réponses.

a) La position de la Terre par rapport à la Lune.

b) Le relief des fonds océaniques.

c) La température de l'eau.

d) L'heure du jour.

e) La position du système Terre-Lune par rapport au Soleil.

f) La configuration des côtes.

TE
1.2

7. Les tables des marées sont utilisées par les pêcheurs, les plaisanciers et toute personne qui, pour ses loisirs ou son travail, doit tenir compte des marées.

Le tableau ci-dessous présente l'horaire des marées pour le village de Grande-Vallée, en Gaspésie, au Québec. On peut y lire le niveau de la mer à différents moments de la journée.

2008-06-15 (dimanche)		2008-06-16 (lundi)		2008-06-17 (mardi)	
Heure avancée de l'est (HAE)	Hauteur (m)	Heure (HAE)	Hauteur (m)	Heure (HAE)	Hauteur (m)
00:31	2,0	01:20	2,1	02:00	2,2
07:19	0,7	08:10	0,7	08:53	0,6
13:11	1,4	14:05	1,4	14:48	1,4
18:35	0,8	19:17	0,8	19:56	0,8

Pêches et Océans Canada

Répondez aux questions suivantes à l'aide de l'horaire des marées.

a) À quelle heure se produiront les marées hautes le lundi 16 juin ?

_____

b) On appelle « marnage » la différence de hauteur d'eau entre une marée haute et une marée basse consécutives. Quel a été le marnage dans l'après-midi du 17 juin ?

_____

c) Joan et Marilou veulent pêcher l'éperlan sur le quai de Grande-Vallée, le dimanche 15 juin. Les deux amis savent que ce poisson se pêche à marée haute et ils veulent pêcher durant la journée. À quelle heure devront-ils se donner rendez-vous sur le quai ?

_____

d) Une famille désire camper sur la plage de Grande-Vallée. Ils arrivent le dimanche 15 juin entre 18 h et 19 h et prévoient repartir mardi en fin d'après-midi.

À quelle hauteur minimale au-dessus du niveau de la mer devront-ils installer leur tente pour qu'elle soit au sec toute la journée ? Justifiez votre réponse.

_____

_____

_____

_____

CONCEPT **2.1**

 Manuel, p. 243 à 245

L'effet de serre

Des termes à CONNAÎTRE

1. Quel processus naturel de réchauffement de l'atmosphère est causé par des gaz à effet de serre ?

   _____

2. Quel processus accéléré de réchauffement de l'atmosphère est causé par un surplus de gaz à effet de serre issu de l'activité humaine ?

   _____

3. Lesquelles des molécules suivantes sont les principaux gaz à effet de serre ? Entourez les bonnes réponses.

   a) l'eau (H_2O)

   b) le diazote (N_2)

   c) l'hélium (He)

   d) le dioxyde de carbone (CO_2)

   e) le méthane (CH_4)

   f) l'oxyde de diazote (N_2O)

TE 2.1

Des concepts à COMPRENDRE

4. Indiquez si chacun des énoncés suivants est vrai ou faux. Rectifiez l'énoncé lorsqu'il est faux.

   a) L'effet de serre est un phénomène récent.

   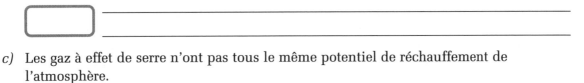

   b) L'activité humaine est l'unique cause de l'effet de serre.

   c) Les gaz à effet de serre n'ont pas tous le même potentiel de réchauffement de l'atmosphère.

d) L'augmentation de la chaleur émise par le Soleil est une des causes de l'effet de serre renforcé.

e) L'augmentation de la quantité de rayonnement solaire qui atteint la surface de la Terre est l'une des causes de l'effet de serre renforcé.

f) L'effet de serre empêche une partie des rayons infrarouges émis par la Terre de traverser l'atmosphère pour atteindre l'espace.

5. À l'aide du tableau ci-dessous, répondez aux questions.

Les principaux gaz à effet de serre

Gaz à effet de serre (GES)	Potentiel de réchauffement climatique	Persistance dans l'atmosphère (en années)
Dioxyde de carbone (CO_2)	1*	De 50 à 200
Méthane (CH_4)	De 11 à 23	10
Oxyde de diazote (N_2O)	De 296 à 320	De 120 à 150

* Le dioxyde de carbone sert de valeur étalon. Le méthane possède donc de 11 à 23 fois plus de potentiel de réchauffement climatique que le dioxyde de carbone.

a) Lequel de ces gaz à effet de serre a le plus grand potentiel de réchauffement climatique ?

b) Lequel de ces gaz à effet de serre persiste le moins longtemps dans l'atmosphère ?

c) Des scientifiques travaillent pour développer un moteur de voiture écologique. Ils conçoivent deux moteurs avec lesquels ils effectuent des tests d'émission de gaz à effet de serre. Le premier moteur émet 1 t d'oxyde de diazote (N_2O) par année, alors que le second émet 10 t de dioxyde de carbone (CO_2) par année. Lequel des deux moteurs est le moins dommageable pour l'environnement ?

Justifiez votre réponse.

TE
2.1

Des problème à RÉSOUDRE

6. En 1998, le Canada et 160 autres pays ont conclu une entente de principe portant sur un objectif de réduction de 5 % des gaz à effet de serre avant 2012. Cette entente est appelée le protocole de Kyoto. Pour le Canada, cela signifiait qu'il devait réduire ses émissions de GES à l'équivalent de 563 Mt de CO_2 par année jusqu'en 2012.

À l'aide du graphique ci-contre, répondez aux questions.

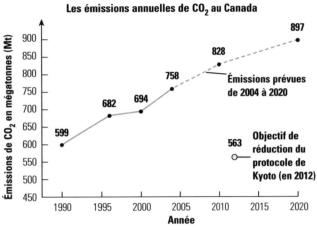

Les émissions annuelles de CO_2 au Canada

Source : Données tirées du *Rapport du Canada sur les progrès démontrables aux termes du protocole de Kyoto,* gouvernement du Canada, 2006.

a) Quel était le niveau des émissions de dioxyde de carbone (CO_2) du Canada, en méga-tonnes (Mt), en 1990?

_____

b) Quel était le niveau approximatif des émissions de dioxyde de carbone (CO_2) du Canada, en mégatonnes (Mt), en 2005?

_____

TE 2.1

c) À quel pourcentage correspond l'augmentation des émissions de dioxyde de carbone (CO_2) du Canada entre 1990 et 2005?

Laissez des traces de votre démarche.

Réponse : _____

d) Selon les données présentées dans le diagramme, le Canada aura-t-il atteint son objectif qui consiste à réduire ses émissions de gaz à effet de serre à 563 Mt par année en 2012? Justifiez votre réponse.

_____

_____

_____

_____

7. En 2004, le Canada a produit l'équivalent de 758 Mt de dioxyde de carbone (CO_2). La population du pays était alors de 31 millions de personnes.

   a) En 2004, quel était le taux annuel de CO_2 produit par Canadien ? Rappel : 1 t = 1 000 kg

   Réponse : _____

   b) À quel taux quotidien ce taux annuel correspond-il ?

   Réponse : _____

8. Selon le graphique ci-dessous, quels sont les deux principaux secteurs d'émissions de gaz à effet de serre au Canada ?

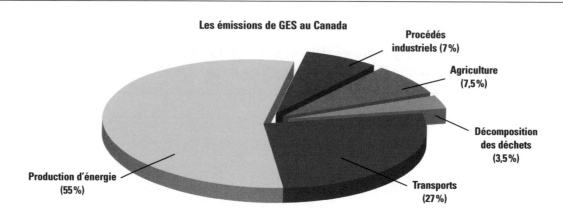

Les émissions de GES au Canada

Procédés industriels (7 %)

Agriculture (7,5 %)

Décomposition des déchets (3,5 %)

Transports (27 %)

Production d'énergie (55 %)

CONCEPT 2.2

Manuel, p. 246 à 248

Les masses d'air

Des termes à CONNAÎTRE

1. Vrai ou faux ?

	Vrai	Faux

   a) Une masse d'air est une partie de l'atmosphère dont la température et l'humidité varient rapidement.

   b) Pour désigner l'humidité des masses d'air, on fait appel à deux qualificatifs : sec et humide.

2. L'air chaud et humide contient de la vapeur d'eau. Une fois que cet air se refroidit et qu'il atteint une température à laquelle il ne peut plus retenir la quantité de vapeur d'eau qu'il contient, la vapeur se condense. Selon l'endroit et les conditions météorologiques dans lesquels se produit ce phénomène, on obtient du givre, de la rosée, des nuages ou du brouillard.

   Identifiez chacune des définitions au phénomène approprié.

   a) Phénomène qui se produit à une température supérieure à 0 °C et au cours duquel des microgouttelettes se déposent au sol. _____

   b) Phénomène qui se produit à une température inférieure à 0 °C et au cours duquel des cristaux se forment au sol. _____

   c) Phénomène qui se produit en altitude lorsque l'air humide se refroidit jusqu'à son point de rosée. _____

   d) Phénomène qui se produit au niveau du sol lorsque l'air humide se refroidit jusqu'à son point de rosée. _____

3. Parmi les définitions suivantes :

   A : Pourcentage de la quantité minimale de vapeur d'eau que l'air peut contenir à une température donnée.

   B : Température à laquelle l'air devient saturé de vapeur d'eau.

   C : Pourcentage de la quantité maximale de vapeur d'eau que l'air peut contenir à une température donnée.

   D : Température à laquelle l'air ne contient aucune vapeur d'eau.

   a) laquelle correspond au point de rosée ? _____

   b) laquelle correspond à l'humidité relative ? _____

TE 2.2

4. Complétez le tableau à l'aide de la figure ci-dessous.

Les masses d'air en Amérique du Nord

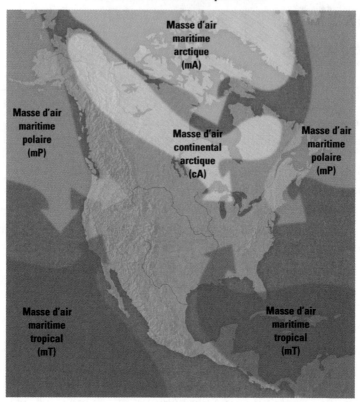

Humidité	Température	Nom de la masse d'air	Symbole
Air humide	Air chaud		
Air humide	Air froid		
Air humide	Air très froid		
Air sec	Air très froid		

5. À l'aide de la carte de la question 4, nommez les masses d'air responsables du climat québécois.

   _____

6. Expliquez pourquoi le taux d'humidité relative varie selon la température.

   _____

   _____

   _____

TE
2.2

7. À l'aide du graphique ci-dessous, répondez aux questions.

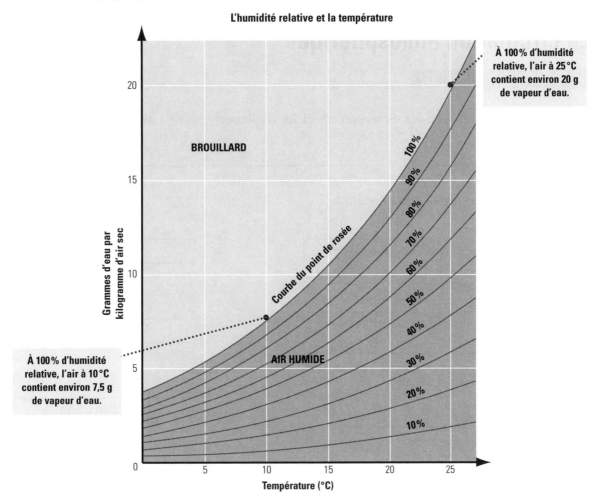

L'humidité relative et la température

À 100 % d'humidité relative, l'air à 25 °C contient environ 20 g de vapeur d'eau.

À 100 % d'humidité relative, l'air à 10 °C contient environ 7,5 g de vapeur d'eau.

BROUILLARD

Courbe du point de rosée

AIR HUMIDE

Grammes d'eau par kilogramme d'air sec

Température (°C)

TE 2.2

a) Un après-midi de juillet, la température de l'air est de 25 °C et l'humidité relative est de 50 %. Le soleil se couche et l'air se refroidit. Au moment le plus froid de la nuit, la température descend jusqu'à 10 °C. Y aura-t-il de la rosée au sol cette nuit-là ? Justifiez votre réponse.

_____

_____

b) À l'aéroport de Dorval, la température de l'air est de 20 °C et le taux d'humidité relative est de 70 %. La température de l'air diminue et l'on craint que le brouillard ne nuise au décollage des avions.

À quelle température le brouillard commencera-t-il à se former ? Justifiez votre réponse.

_____

_____

CONCEPT 2.3

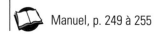 Manuel, p. 249 à 255

La circulation atmosphérique

Des termes à CONNAÎTRE

1. Comment appelle-t-on les mouvements et les déplacements de l'air à l'échelle de la planète ?

   _____

2. Associez chaque terme à sa définition.

Force créée par la rotation de la Terre qui fait dévier tout objet en mouvement à la surface terrestre.	Courants-jets
Vents très rapides qui circulent au sommet de la troposphère.	Vents dominants
Transfert de chaleur qui provoque le déplacement de l'air d'un endroit à un autre.	Force de Coriolis
STE Grands couloirs de vents dont la direction est déterminée par divers facteurs.	La convection

3. Comment appelle-t-on le déplacement de l'air qui prend la forme d'une boucle et qui est causé par la convection ?

   _____

4. Expliquez pourquoi les régions près de l'équateur se réchauffent beaucoup plus que toutes les autres régions du globe.

   _____

   _____

   _____

   _____

TE
2.3

5. Identifiez les grands courants de convection illustrés sur le schéma ci-dessous.

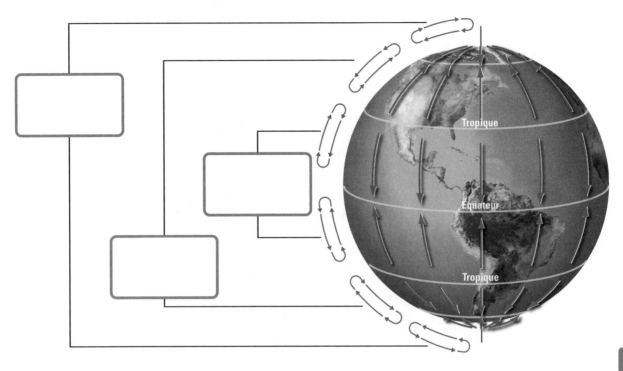

**TE
2.3**

6. Complétez le tableau à l'aide de l'illustration ci-contre.

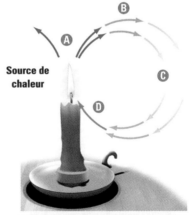

Le phénomène de convection

Position	Propriétés de l'air		
	Température de l'air (augmente ou diminue)	Volume de l'air (augmente ou diminue)	Masse volumique de l'air (augmente ou diminue)
A			
B			
C			
D			

7. L'illustration ci-dessous présente la trajectoire d'un courant de convection (A) et la force de Coriolis générée par la rotation de la Terre (B). Tracez une flèche qui indique le sens du déplacement de l'air résultant de la combinaison des mouvements A et B.

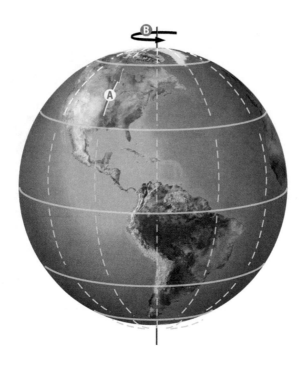

8. **STE** Aux 15ᵉ et 16ᵉ siècles, des explorateurs européens ont effectué de nombreux voyages en Nouvelle-France. Ces voyages se faisaient en bateau à voiles.

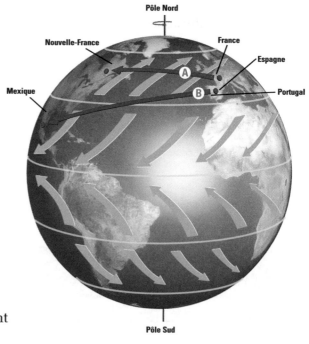

a) À l'aide de l'illustration ci-contre, expliquez pourquoi les voyages de l'Europe vers la Nouvelle-France étaient généralement plus longs que les voyages de retour vers l'Europe.

_____

_____

_____

b) À la même époque, les conquistadors espagnols naviguaient vers le Mexique. Expliquez pourquoi la deuxième partie du voyage, une fois passé le 30ᵉ degré de latitude Nord, était plus rapide que la première.

_____

_____

_____

_____

9. Alice désire faire un voyage en France l'été prochain. Ses recherches sur Internet lui ont permis de trouver les renseignements ci-dessous. À l'aide de ces informations, répondez aux questions.

Vol	De	À	Durée	Appareil
AX347	Montréal, P.-E.-Trudeau (YUL) QC, Canada Samedi 20:05	Paris, Charles-de-Gaulle (CDG) France Dimanche 08:50	6 h 45 min sans escale	B 747
AX344	Paris, Charles-de-Gaulle (CDG) France Mardi 13:15	Montréal, P.-E.-Trudeau (YUL) QC, Canada Mardi 14:40	7 h 25 min sans escale	B 747

TE 2.3

a) Quelle sera la durée du voyage d'Alice à l'aller ? _____

b) Quelle sera la durée de son voyage au retour ? _____

c) Lequel des deux vols sera de plus courte durée ? _____

d) Quelle différence de durée (en minutes) y a-t-il entre ces deux vols ? _____

e) Expliquez quel phénomène cause la différence de durée entre les vols en sachant que l'avion peut voler à une altitude de 10 km.

_____

_____

_____

_____

CONCEPT 2.4

 Manuel, p. 256 à 260

Les cyclones et les anticyclones

Des termes à CONNAÎTRE

1. Voici une liste d'expressions qui concernent les cyclones et les anticyclones. Inscrivez la lettre C au-dessus des expressions qui concernent les cyclones, et la lettre A au-dessus des expressions qui concernent les anticyclones.

☐ **Zone de haute pression**

☐ **Zone de basse pression**

☐ **Air relativement froid**

☐ **Air descend en tournant**

☐ **Air relativement chaud**

☐ **Dépression**

☐ **Air monte en tournant**

2. Comment appelle-t-on la force exercée par le poids de l'atmosphère sur la surface de la Terre ?

_____

3. Quelle est la valeur de la pression atmosphérique normale ?

_____

4. Indiquez si les énoncés suivants décrivent un cyclone ou un anticyclone.

a) Une masse d'air froid qui descend et tourbillonne dans le sens horaire dans l'hémisphère Nord et qui crée une zone de haute pression.

_____

b) Une masse d'air chaud qui monte et tourbillonne dans le sens antihoraire dans l'hémisphère Nord et qui crée une zone de basse pression.

_____

5. Comment appelle-t-on la forme la plus puissante de cyclone dans laquelle les vents dépassent 118 km/h ?

_____

TE 2.4

6. Un cyclone peut évoluer et devenir de plus en plus puissant. Classer en ordre croissant, du plus faible au plus fort, les différents types de cyclones.

   A : Tempête tropicale.

   B : Ouragan.

   C : Dépression tropicale.

7. Comment appelle-t-on la ligne de transition entre deux masses d'air où se forment habituellement les nuages ?

   _____

Des concepts à COMPRENDRE

8. Une puissante dépression atmosphérique se produit au-dessus de l'océan Atlantique entre l'équateur et le tropique du Cancer. Les conditions météorologiques sont propices à un orage et la température de l'eau dépasse 26 °C à une profondeur de 60 m.

   Quel phénomène particulier risque de se produire dans ces conditions particulières ?

   _____

TE 2.4

9. Dans le tableau ci-dessous, indiquez les caractéristiques qui s'appliquent à l'anticyclone et celles qui s'appliquent au cyclone.

Caractéristique	Système météorologique	
	Anticyclone	Cyclone
Température de l'air (chaude ou froide)		
Mouvement de l'air (ascendant ou descendant)		
Pression atmosphérique (haute ou basse)		
Sens de rotation (horaire ou antihoraire)		

10. L'illustration ci-contre montre la rencontre de deux masses d'air.

    a) Quelle lettre identifie une masse d'air chaud et humide ?

    _____

    b) Quelle lettre identifie une masse d'air froid ?

    _____

    c) Quelle lettre identifie une zone de pluie ?

    _____

    d) Quel phénomène se produit dans la zone C ?

    _____

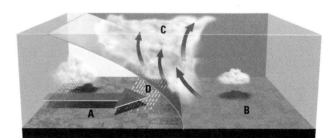

11. À l'aide du schéma ci-contre, répondez aux questions.

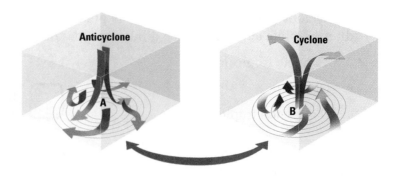

a) Au niveau du sol, dans quel sens soufflent les vents : de A vers B ou de B vers A ?

_____

b) Dans chacune des régions, A et B, se trouve une ville. Dans laquelle de ces villes fait-il le plus chaud ?

_____

c) Sonia habite dans la ville B. Elle constate qu'il y fait une température de 15 °C. Si les vents continuent à se déplacer de la même façon, la température dans la ville de Sonia va-t-elle augmenter ou diminuer ?

_____

TE 2.4

CONCEPT 2.5

 Manuel, p. 261 à 263

L'ozone STE

Des termes à CONNAÎTRE

1. Vrai ou faux ?

	Vrai	Faux
a) Une molécule d'ozone est formée de trois atomes d'oxygène.	☐	☐
b) La majeure partie de l'ozone présent dans l'atmosphère se trouve au niveau du sol.	☐	☐
c) L'ozone qui se trouve dans la stratosphère forme une couche qui nous protège des rayons infrarouges du Soleil.	☐	☐
d) L'action du rayonnement ultraviolet (UV) est responsable du processus de formation et de destruction de l'ozone.	☐	☐

e) Certains gaz produits par l'activité humaine, tels les chlorofluorocarbures (CFC), font épaissir la couche d'ozone stratosphérique.

f) L'ozone troposphérique est essentiellement produit par les réactions entre le rayonnement solaire et des polluants chimiques qui proviennent de la combustion de produits pétroliers.

g) Les oxydes d'azote (NO et NO$_2$) sont des polluants qui entraînent une augmentation de l'ozone troposphérique.

h) Le smog participe à l'effet de serre renforcé.

i) L'ozone est nuisible quand il est dans les couches supérieures de l'atmosphère.

Vrai	Faux
☐	☐
☐	☐
☐	☐
☐	☐
☐	☐

Des concepts à **COMPRENDRE**

2. À l'aide du schéma ci-dessous, indiquez à quelle étape du cycle de l'ozone correspond chacun des énoncés.

TE 2.5

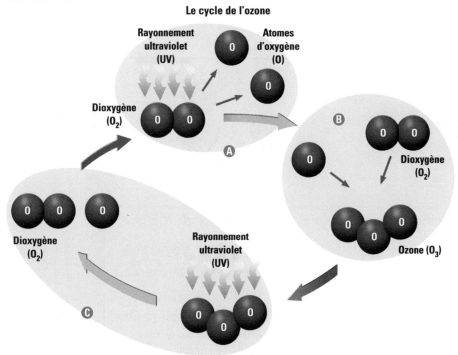

Le cycle de l'ozone

1. L'ozone absorbe le rayonnement ultraviolet et se décompose en dioxygène et en un atome d'oxygène.

2. Dans l'atmosphère, le dioxygène absorbe l'énergie solaire. Chaque molécule se décompose alors en deux atomes d'oxygène.

3. Chaque atome d'oxygène se combine avec une molécule de dioxygène pour former de l'ozone.

- Étape **A** : _____
- Étape **B** : _____
- Étape **C** : _____

3. Nommez trois sources de polluants qui sont responsables de l'ozone troposphérique.

_____

_____

_____

4. À l'aide du schéma ci-dessous, indiquez à quelle étape du cycle de décomposition de l'ozone stratosphérique correspond chacun des énoncés.

La décomposition de l'ozone stratosphérique sous l'action des CFC

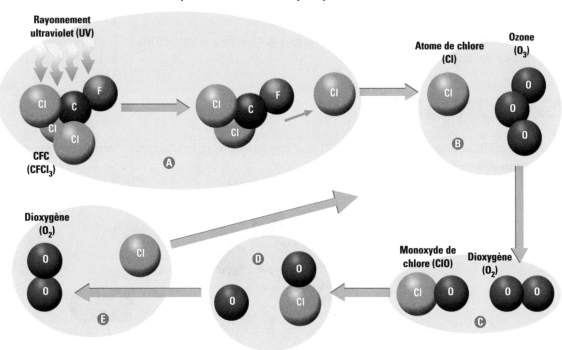

TE 2.5

1. L'atome de chlore (Cl) rencontre une molécule d'ozone.

2. Le monoxyde de chlore rencontre un atome d'oxygène.

3. Le rayonnement ultraviolet (UV) décompose la molécule de CFC. Un atome de chlore s'échappe.

4. Il y a production de dioxygène et l'atome de chlore libéré peut aller attaquer une autre molécule d'ozone.

5. L'atome de chlore saisit un des atomes d'oxygène de la molécule d'ozone et produit ainsi du dioxygène et du monoxyde de chlore.

- Étape **A** : _____
- Étape **B** : _____
- Étape **C** : _____
- Étape **D** : _____
- Étape **E** : _____

CONCEPT 2.6

 Manuel, p. 264 à 267

La contamination atmosphérique STE

Des termes à CONNAÎTRE

1. Lequel des énoncés ci-dessous définit le mieux la contamination atmosphérique?

    a) La contamination atmosphérique est la modification de la composition de l'atmosphère par diverses substances qui proviennent uniquement de sources naturelles.

    b) La contamination atmosphérique est la modification de la composition de l'atmosphère par diverses substances qui sont issues uniquement de l'activité humaine.

    c) La contamination atmosphérique est la modification de la composition de l'atmosphère par diverses substances qui proviennent de sources naturelles ou qui sont issues de l'activité humaine.

2. Vrai ou faux?

	Vrai	Faux
a) Les polluants primaires sont des substances émises directement par des activités humaines.	☐	☐
b) La contamination atmosphérique causée par les polluants primaires a des effets multiples sur la santé humaine, mais pas sur l'environnement.	☐	☐
c) Le dioxyde de soufre (SO_2), le monoxyde de carbone (CO), les oxydes d'azote (NO_x) et les composés organiques volatils (COV) sont des polluants secondaires.	☐	☐
d) Les polluants secondaires sont issus de la transformation chimique des polluants primaires dans l'atmosphère.	☐	☐
e) L'ozone troposphérique, l'un des principaux responsables du smog, est un polluant primaire.	☐	☐
f) L'atmosphère contient de fines particules de natures diverses qui jouent un rôle important, car elles sont des noyaux de condensation qui favorisent la formation des nuages.	☐	☐
g) La principale source de monoxyde de carbone (CO) qui pollue l'atmosphère provient des centrales thermiques et des usines.	☐	☐
h) Au Québec, c'est le transport qui constitue la principale source de polluants atmosphériques primaires.	☐	☐

TE
2.6

Des concepts à COMPRENDRE

3. Complétez le tableau à l'aide des termes suivants.

- bactéries
- cendres volcaniques
- CFC
- embruns marins
- oxydes d'azote
- pollen
- poussière de béton
- vapeurs d'essence

Contaminants provenant de sources naturelles	Contaminants issus de l'activité humaine

4. Les cinq polluants atmosphériques suivants ont des effets sur la santé humaine et sur l'environnement.

A: Particules en suspension issues d'activités industrielles
B: Dioxyde de soufre (SO_2)
C: Monoxyde de carbone (CO)
D: Oxydes d'azote (NO_x)
E: Composés organiques volatils (COV)

TE 2.6

a) Lesquels de ces polluants peuvent affecter le système respiratoire des humains ? _____

b) Lesquels de ces polluants contribuent aux pluies acides ? _____

c) Lesquels de ces polluants font augmenter la quantité d'ozone troposphérique ? _____

d) Lequel de ces polluants peut être cancérogène ? _____

e) Lequel de ces polluants participe à l'effet de serre renforcé ? _____

CONCEPT 2.7

 Manuel, p. 268 à 271

Les ressources énergétiques de l'atmosphère

Des termes à CONNAÎTRE

1. Complétez la phrase à l'aide des termes suivants.

- électrique
- éolienne
- mécanique
- thermique

Les ressources énergétiques de l'atmosphère sont l'énergie _____, qui peut

être transformée en énergie _____ ou _____, et l'énergie

_____ contenue dans l'atmosphère.

2. Quel appareil est utilisé pour récupérer l'énergie thermique contenue dans l'air?

_____

3. Le graphique ci-dessous montre qu'à 30 °C le coefficient de performance d'une thermo-pompe est de 4. Ce coefficient signifie que la thermopompe consomme 1 kW d'énergie pour en produire 4 kW.

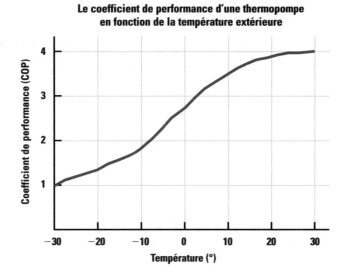

Le coefficient de performance d'une thermopompe en fonction de la température extérieure

À l'aide du graphique ci-dessus, répondez aux questions.

a) Quel est le coefficient de performance (COP) de la thermopompe à 0 °C?

_____

b) Quel est le coefficient de performance (COP) de la thermopompe à −10 °C?

_____

c) Calculez combien d'énergie la thermopompe consommera si elle est utilisée pour pro-duire 70 kW d'énergie et que la température de l'air est de 10 °C.

> Réponse: _____

d) À quelle température devient-il inutile d'utiliser une thermopompe parce que celle-ci dépense autant d'énergie qu'elle en produit?

_____

CONCEPT 3.1

 Manuel, p. 276 à 280

Les bassins versants

Des termes à CONNAÎTRE

TE 3.1

1. Complétez les phrases à l'aide des termes suivants.

   - bassin hydrographique
   - bassins versants locaux
   - delta
   - ligne de partage des eaux
   - bassin versant
   - bassins versants océaniques
   - estuaire
   - bassins versants fluviaux
   - bassins versants secondaires
   - ligne de crête

   a) Un _____, aussi appelé « _____ »,
   est une portion de territoire qui draine toutes les précipitations reçues vers un même
   endroit.

   b) La frontière entre deux bassins versants se situe sur une _____
   qui épouse le relief en suivant les crêtes des collines et des montagnes.

   c) La ligne de crête est également appelée « _____ ».

   d) Les _____ recueillent l'eau de tous les fleuves qui se
   jettent dans un même océan.

   e) Les _____ correspondent aux réseaux hydrographiques
   des fleuves.

   f) Les bassins versants fluviaux se décomposent en plusieurs _____
   _____.

   g) Les bassins versants secondaires peuvent être divisés en _____
   qui sont de plus petite superficie et qui correspondent à chaque affluent d'une rivière.

   h) Lorsque les dépôts de sédiments sont suffisamment importants à l'embouchure d'un
   fleuve, ils divisent le cours d'eau en plusieurs branches et forment un
   _____.

   i) Certains fleuves rejoignent l'océan sans se diviser en plusieurs branches. La large
   embouchure de ces fleuves est appelée « _____ ».

Des concepts à COMPRENDRE

2. Dans l'illustration ci-dessous, identifiez les différents niveaux de bassins versants et les différents types d'embouchures. Certains termes peuvent être utilisés plus d'une fois.

- bassin versant fluvial
- bassin versant secondaire
- bassin versant local
- delta
- bassin versant océanique
- estuaire

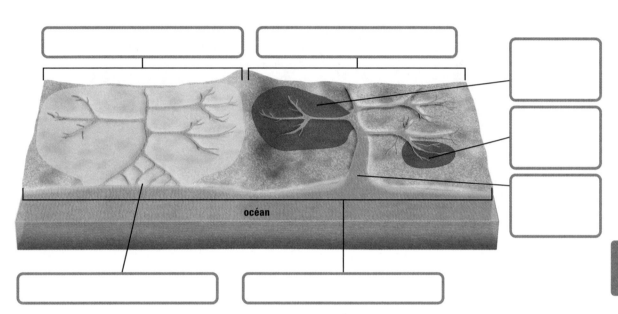

océan

TE
3.1

3. Indiquez si chacun des énoncés suivants est vrai ou faux. Rectifiez l'énoncé lorsqu'il est faux.

a) Les lignes de crêtes définissent les limites des bassins versants.

[ ] _____
_____

b) Les lignes de crêtes sont les parties les plus basses d'un bassin versant.

[ ] _____
_____

c) Les bassins versants sont responsables seulement de la circulation des eaux de surface.

[ ] _____
_____

d) Un bassin versant fluvial recueille l'eau de tous les cours d'eau qui se jettent dans un même fleuve.

[ ] _____
_____

4. À l'aide de la carte ci-dessous, nommez les deux bassins versants océaniques du Québec.

Les bassins versants océaniques du Canada

_____

TE
3.1

5. Selon la carte de la question 4, les Grands Lacs sont-ils situés en amont ou en aval du fleuve Saint-Laurent ? Justifiez votre réponse.

_____

_____

6. Les photographies satellites ci-dessous montrent l'embouchure de deux grands fleuves : l'Amazone et le Saint-Laurent.

L'Amazone

Le Saint-Laurent

a) Lequel de ces deux fleuves a une embouchure en estuaire ? _____

b) Lequel de ces deux fleuves a une embouchure en delta ? _____

CONCEPT 3.2

 Manuel, p. 281 à 283

La salinité

Des termes à CONNAÎTRE

1. Comment appelle-t-on la concentration de sels minéraux dissous dans l'eau ?

   _____

2. Comment appelle-t-on le mélange d'eau douce et d'eau salée qui se trouve dans les estuaires et dans les deltas ?

   _____

Des concepts à COMPRENDRE

TE
3.2

3. Indiquez si chacun des énoncés suivants est vrai ou faux. Rectifiez l'énoncé lorsqu'il est faux.

   a) La salinité de l'eau douce continentale des fleuves et des lacs est généralement inférieure à 1 g/L.

   ☐ _____
   _____

   b) La salinité des océans est de 35 g/L peu importe la profondeur de l'eau et la région du globe.

   ☐ _____
   _____

   c) La salinité est un des facteurs responsables de la circulation océanique.

   ☐ _____
   _____

   d) Le sel des mers provient de deux sources : les déversements continuels de sels minéraux par les bassins versants fluviaux et l'activité des volcans et des sources hydrothermales sous-marines.

   ☐ _____
   _____

   e) L'eau saumâtre contient plus de 35 g/L de sels minéraux.

   ☐ _____
   _____

4. D'où proviennent les minéraux dissous dans les rivières et les fleuves ?

_____

_____

5. Le graphique ci-dessous présente la composition de l'eau de mer.

   • Identifiez les deux principaux composants de l'eau de mer.

   • Indiquez dans quelle proportion (en pourcentage) ces composants sont présents dans l'eau de mer.

La composition de l'eau de mer

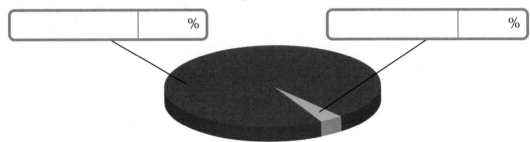

| | % | | | % |

6. Lequel des différents sels minéraux dissous dans l'eau de mer est le plus abondant ?

_____

TE 3.2

CONCEPT 3.3

Manuel, p. 284 à 287

La circulation océanique

Des termes à CONNAÎTRE

1. Comment nomme-t-on la force due à la rotation de la Terre qui affecte les courants marins de surface et les vents ?

_____

2. Comment nomme-t-on le phénomène qui oriente les courants de surface en les faisant tourner dans le sens horaire, dans l'hémisphère Nord, et dans le sens antihoraire, dans l'hémisphère Sud ?

_____

3. Quel courant océanique transporte l'eau très chaude de la mer des Caraïbes et du golfe du Mexique vers le nord, puis longe la côte américaine avant de bifurquer vers l'est et de se diriger vers le nord de l'Europe ?

_____

4. Complétez les phrases à l'aide des termes suivants.

- circulation océanique
- circulation thermohaline
- courants de densité
- courants de surface
- courants marins
- tourbillons océaniques

a) La _____ correspond au mouvement et au déplacement de l'eau, sous forme liquide, à l'échelle de la planète.

b) Il existe plusieurs types de _____ qui transfèrent vers les pôles l'énergie solaire emmagasinée dans les régions équatoriales.

c) Les _____ sont de grands mouvements continus d'eau générés par les vents qui soufflent à la surface des océans.

d) Cinq grands _____, engendrés par les vents et la force de Coriolis, orientent les courants de surface.

e) Les _____ (ou courants profonds) sont générés par des différences de température et de salinité de l'eau des océans.

f) La circulation océanique des courants de densité se nomme la _____ _____.

TE
3.3

5. Dans l'illustration ci-dessous, identifiez les cinq grands tourbillons océaniques.

La direction des courants de surface

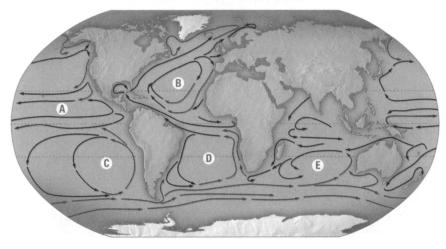

Ⓐ : _____

Ⓑ : _____

Ⓒ : _____

Ⓓ : _____

Ⓔ : _____

Des concepts à COMPRENDRE

6. La circulation thermohaline correspond à une boucle sans fin qui lie les courants de densité aux courants de surface. Comment surnomme-t-on ce transport de l'eau ?

_____

7. Indiquez si chacun des énoncés suivants est vrai ou faux. Rectifiez l'énoncé lorsqu'il est faux.

   a) L'eau froide est plus dense que l'eau chaude.

   [ ] _____
       _____

   b) L'eau chaude a une masse volumique plus grande que l'eau froide.

   [ ] _____
       _____

   c) La masse volumique de l'eau diminue proportionnellement à sa salinité.

   [ ] _____
       _____

   d) Les courants de densité sont les seuls moteurs de la circulation des masses d'eau océaniques autour de la planète.

   [ ] _____
       _____

TE 3.3

8. Répondez aux questions à l'aide de l'illustration ci-dessous.

La circulation thermohaline

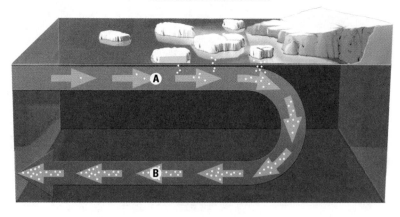

   a) Quel type de courants montrent les parties A et B de l'illustration ?

   _____

   b) Dans quelle partie de l'illustration circule l'eau la plus froide ? _____

   c) Dans quelle partie de l'illustration circule l'eau la plus dense ? _____

   d) Dans quelle partie de l'illustration circule l'eau la plus salée ? _____

9. De quelle façon les courants de densité assurent-ils le maintien de la vie dans les océans ?

_____

_____

_____

_____

_____

_____

CONCEPT **3.4**

 Manuel, p. 288 à 291

Les glaciers et la banquise

TE 3.3

Des termes à **CONNAÎTRE**

1. Indiquez à quel élément naturel correspond chacune des définitions.

a) Plaques de glace de mer plus ou moins compactes qui flottent à la surface des océans dans les régions polaires. _____

b) Partie de l'hydrosphère qui se trouve sous forme de neige ou de glace. _____

c) Type de glacier qui se déplace dans une seule direction, en suivant la pente d'un bassin versant. _____

d) Glacier qui se forme dans des creux situés sur le flanc des hautes montagnes. _____

e) Glacier qui recouvre une grande superficie et qui se déplace dans toutes les directions. _____

f) Grande masse de glace formée par l'accumulation et le tassement de couches de neige. _____

g) Très grande calotte glaciaire qui couvre presque entièrement un continent. _____

h) Petite calotte glaciaire qui recouvre le sommet d'une chaîne de montagnes. _____

i) Énorme morceau de glace qui se détache d'une calotte glaciaire et qui flotte à la dérive sur les océans. _____

Des concepts à COMPRENDRE

2. Quel pourcentage de l'eau douce de la planète la cryosphère renferme-t-elle ?
    Entourez la bonne réponse.

    a) 25 %

    b) 50 %

    c) 70 %

    d) 80 %

    e) 92 %

3. À quel endroit peut-on observer des glaciers ? Entourez la bonne réponse.

    a) Seulement sur les océans.

    b) Seulement sur les continents.

    c) Sur les banquises.

    d) Sur les continents et les océans.

TE 3.4

4. De quelle partie de la cryosphère proviennent les icebergs ? Entourez la bonne réponse.

    a) De la banquise.

    b) Des inlandsis.

    c) Des glaciers dépendant du relief.

    d) De la solidification de l'eau de mer.

5. Quelle est l'épaisseur moyenne d'une banquise ? Entourez la bonne réponse.

    a) Quelques mètres.

    b) Quelques centimètres.

    c) Plus de 30 m.

    d) Quelques kilomètres.

6. Comment appelle-t-on le type de glacier qui recouvrait tout le nord du continent américain il y a 80 000 ans ?

    _____

    _____

7. Associez chacun des termes suivants à la photographie qui y correspond.

- Une banquise   • Un glacier dépendant du relief   • Un iceberg   • Une calotte locale

_____

_____

_____

_____

TE
3.4

CONCEPT 3.5

Manuel, p. 292 à 294

La contamination de l'hydrosphère STE

Des termes à CONNAÎTRE

1. Comment nomme-t-on la modification de la composition et des propriétés de l'eau par diverses substances qui proviennent principalement de l'activité humaine ?

_____

2. Nommez les trois grandes catégories de polluants de l'hydrosphère.

_____

Des concepts à COMPRENDRE

3. Quelle catégorie de polluants de l'hydrosphère provient principalement des égouts et de l'élevage des animaux ?

_____

4. Quelle catégorie de polluants de l'hydrosphère peut causer :

    a) des diarrhées, des vomissements, des maladies parasitaires ainsi que l'eutrophisation des lacs ?

    _____

    b) des pluies acides, des marées noires, le développement des algues dans les lacs ainsi que l'eutrophisation de ceux-ci ?

    _____

    c) le réchauffement des cours d'eau, la réduction de la concentration en dioxygène de ceux-ci ainsi que leur eutrophisation ?

    _____

5. Les mines, la déforestation, la métallurgie, l'industrie pétrolifère et l'industrie des solvants et des pesticides sont toutes des industries qui produisent des polluants de l'hydrosphère. À quelle catégorie appartiennent les principaux polluants produits par ces sources ?

    _____

6. Les égouts, les fermes d'élevage et l'industrie alimentaire produisent des polluants de l'hydrosphère. À quelle catégorie appartiennent les principaux polluants produits par ces sources ?

    _____

TE 3.5

7. Classez les polluants de l'hydrosphère suivants selon les trois catégories identifiées précédemment.

    - débris insolubles
    - excréments
    - hydrocarbures
    - parasites
    - produits organiques persistants

    - eaux chaudes
    - fumier
    - métaux lourds
    - plastiques non dégradables
    - pesticides

    - emballages de plastique
    - graisses
    - nitrates et phosphates
    - produits insolubles
    - virus

Les polluants de l'hydrosphère

Catégorie 1 :	Catégorie 2 :	Catégorie 3 :
Bactéries	Acides nitriques et sulfuriques	Bouteilles d'eau

CONCEPT 3.6

Manuel, p. 295 à 297

L'eutrophisation STE

Des termes à CONNAÎTRE

1. Comment appelle-t-on le processus d'enrichissement graduel d'un milieu aquatique en éléments nutritifs, comme le phosphore (P) et l'azote (N) ?

_____

Des concepts à COMPRENDRE

2. Indiquez si chacun des énoncés suivants est vrai ou faux. Rectifiez l'énoncé lorsqu'il est faux.

a) L'eutrophisation est un problème nouveau créé uniquement par l'activité humaine.

_____ _____

TE
3.6

b) L'activité humaine peut accélérer la transformation d'un lac en marais.

_____ _____

c) L'eutrophisation naturelle s'étend généralement sur des dizaines de milliers d'années.

_____ _____

d) L'activité humaine peut entraîner l'eutrophisation d'un lac en quelques dizaines d'années.

_____ _____

e) L'eutrophisation ne peut être observée que dans les lacs.

_____ _____

f) L'augmentation de la température de l'eau accélère le processus d'eutrophisation.

_____ _____

3. Dans le tableau ci-dessous, précisez, pour chacune des étapes du processus d'eutrophisation, quelle est la concentration de chaque élément présent dans l'eau du lac.

L'eutrophisation accélérée d'un lac

Étape	Concentration				
Eau	Oxygène	Nutriments	Algues	Sédiments
Claire				
Trouble				
Très trouble				
Opaque				

TE 3.6

CONCEPT 3.7

Manuel, p. 298 à 301

Les ressources énergétiques de l'hydrosphère

Des termes à CONNAÎTRE

1. Complétez les phrases suivantes.

   a) Les ressources énergétiques de l'hydrosphère sont des énergies renouvelables qui
   regroupent _____ et _____ .

   b) _____ est produite par l'énergie mécanique due aux mouvements de l'eau, qui peut tomber d'une hauteur de chute ou couler dans un cours d'eau.

c) Toutes les ressources énergétiques de l'hydrosphère, à l'exception de l'énergie maré-motrice, dérivent de _____.

d) _____ constitue la source d'énergie issue de l'hydrosphère qui est la plus utilisée dans le monde.

e) _____ est l'énergie produite par les mouvements de l'eau causés par les marées océaniques.

f) _____ est produite en utilisant la différence de température entre l'eau de la surface des océans, chauffée par le rayonnement solaire, et l'eau profonde dont la température se maintient autour de 4 °C.

g) _____ est l'énergie mécanique créée par les mouvements des vagues, de haut en bas, et qui peut être convertie en énergie électrique.

h) _____ pourrait être exploitée pour actionner les hélices d'un moulin sous-marin, qu'on appelle aussi une « hydrolienne ».

2. Indiquez à quel type de construction hydraulique correspond chacun des énoncés suivants.

TE
3.7

a) Type de centrale qui requiert la formation de grands réservoirs. _____

b) Type de centrale située sur un cours d'eau puissant qui ne nécessite pas de grand réservoir. _____

c) Type de centrale qui utilise l'énergie des vagues et des courants causés par les marées. _____

d) Type de centrale qui utilise la différence de température entre l'eau de surface et celle plus froide des profondeurs. _____

e) Nouveau type d'appareil qui utilise l'énergie des courants marins, un peu comme les éoliennes exploitent le vent. _____

Chapitre 2 Terre et espace

Des concepts à COMPRENDRE

3. À l'aide du schéma ci-dessous, répondez aux questions.

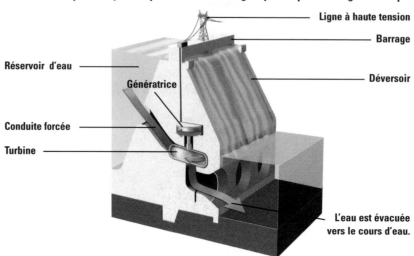

Une vue en coupe d'un système qui transforme l'énergie hydraulique en énergie électrique

Ligne à haute tension
Barrage
Réservoir d'eau
Génératrice
Déversoir
Conduite forcée
Turbine
L'eau est évacuée vers le cours d'eau.

TE
3.7

a) Quel système ce schéma illustre-t-il ? _____

b) Dans quels types de centrales retrouve-t-on ce système ? _____

c) Quelle composante mécanique du système est actionnée en premier par l'eau ? _____

d) Quelle composante du système transforme l'énergie mécanique en énergie électrique ? _____

e) Vers quel endroit l'eau est-elle évacuée ? _____

f) Quelle composante du système transporte l'électricité vers le réseau de distribution aux consommateurs ? _____

4. À l'aide du schéma ci-dessous, répondez aux questions.

Une vue en coupe d'un système qui utilise l'énergie des vagues

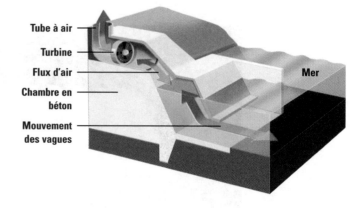

Tube à air
Turbine
Flux d'air
Chambre en béton
Mouvement des vagues
Mer

a) Comment appelle-t-on ce système ?

_____

b) Qu'est-ce qui circule dans la turbine ?

_____

c) Quelle utilisation peut-on faire de l'énergie mécanique produite par la turbine ?

_____

5. À l'aide du schéma ci-dessous, répondez aux questions.

Un système qui exploite l'énergie des courants marins

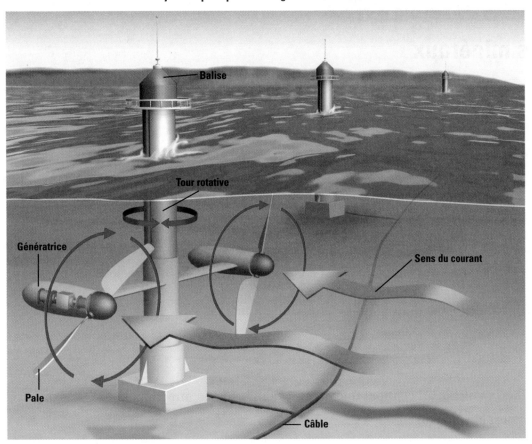

a) Comment appelle-t-on ce système?

_____

b) Quelles composantes du système convertissent l'énergie cinétique du courant marin en énergie mécanique?

_____

c) Dans ce système, quelle transformation subit l'énergie mécanique?

_____

d) Quelles composantes du système produisent l'énergie électrique?

_____

e) Comment appelle-t-on le système dont le fonctionnement est semblable à celui illustré ci-haut, mais qui utilise le vent plutôt que les courants marins pour produire de l'électricité?

_____

CONCEPT 4.1

Manuel, p. 306 à 311

Les minéraux

Des termes à CONNAÎTRE

1. Complétez les phrases à l'aide des termes suivants.

- matériaux combustibles
- minerai
- minéraux métalliques
- sables
- matériaux de construction
- minéraux
- non métallique
- métallique
- minéraux industriels
- roches

TE
4.1

a) Les _____ sont des éléments ou des composés chimiques qui entrent dans la composition des roches et des sols.

b) On distingue deux grandes familles de minéraux: les minéraux à éclat _____ et les minéraux à éclat _____.

c) Une roche qui contient une quantité suffisante de minéraux pour être exploitée est appelée un _____.

d) Dans la nature, la plupart des éléments de la catégorie des métaux se combinent avec d'autres éléments, tels l'oxygène (O) et le soufre (S), pour former des _____.

e) Les _____ sont recherchés pour leurs caractéristiques physiques ou chimiques particulières.

f) Certaines roches et certains agrégats de minéraux sont utilisés comme _____ pour fabriquer du béton, du ciment ou des pierres de taille.

g) Certaines substances minérales, comme le charbon et le pétrole, sont exploitées comme _____ pour produire de l'énergie.

h) Généralement, les _____ sont des associations de minéraux, et leurs fins débris forment des _____ de couleurs variées.

2. Les minéraux possèdent des propriétés physiques et chimiques qui leur sont propres. Associez les propriétés suivantes à leur définition.

Couleur	Forme géométrique du cristal d'un minéral.
Trait de couleur	Façon dont un minéral se divise en plus petites unités (ou cristaux).
Éclat	Couleur de la trace de poudre laissée par un minéral lorsqu'il est frotté contre une surface dure comme un carreau de porcelaine non émaillée.
Structure cristalline	Capacité d'un minéral à résister à la rayure d'un objet ou d'un autre minéral.
Clivage	Propriété que l'on attribue à la lumière et qui dépend de la composition d'un minéral.
Dureté	Capacité d'un minéral à absorber la lumière ou à la réfléchir.

TE
4.1

3. Nommez chacune des structures cristallines illustrées dans le tableau.

Structure cristalline	Nom

Des concepts à COMPRENDRE

4. Indiquez si chacun des énoncés suivants est vrai ou faux. Rectifiez l'énoncé lorsqu'il est faux.

   a) Un minéral est toujours composé de plusieurs éléments chimiques.

   ☐ _____
   _____

   b) Tous les minéraux ont une structure cristalline précise.

   ☐ _____
   _____

   c) Certains minéraux ont plusieurs couleurs selon les impuretés présentes dans leur structure cristalline.

   ☐ _____
   _____

   d) Les minéraux à éclat métallique réfléchissent la lumière et sont brillants.

   ☐ _____
   _____

   e) Le clivage fait référence à la structure cristalline d'un minéral.

   ☐ _____
   _____

5. À l'aide du tableau ci-dessous, répondez aux questions.

   a) Quels minéraux peuvent être rayés par l'apatite ?

   _____
   _____

   b) Quels minéraux peuvent rayer la topaze ?

   _____

   c) Quels minéraux peuvent être rayés par le quartz, mais pas par la fluorine ?

   _____

   d) Un clou de fer peut-il être rayé par un morceau de verre ?

   _____

   e) Quel est le minéral le plus dur ?

   _____

L'échelle de Mohs

Minéral	Dureté du minéral	Dureté d'objets communs
Talc	1 (le plus tendre)	Mine de crayon tendre (1,5)
Gypse	2	Ongle (2,5)
Calcite	3	Morceau de cuivre (3,5)
Fluorine	4	Clou de fer (4,5)
Apatite	5	Verre (5,5)
Feldspath	6	Lime d'acier (6,5)
Quartz	7	Porcelaine (7,0)
Topaze	8	Papier de verre (7,5)
Corindon	9	Papier d'émeri (9,0)
Diamant	10 (le plus dur)	—

TE 4.1

6. À quelle propriété des minéraux chacun des énoncés suivants fait-il référence ?

a) Le grenat est une pierre semi-précieuse dont les cristaux sont cubiques.

_____

b) Le corindon est un minéral qu'on appelle « saphir » lorsqu'il est bleu et « rubis » lorsqu'il est rouge.

_____

c) L'or réfléchit très bien la lumière du soleil.

_____

d) Un bloc de sel de table peut être séparé en petits morceaux cubiques.

_____

e) La topaze peut rayer le quartz.

_____

f) L'hématite laisse une trace rouge foncé lorsqu'elle est frottée contre un carreau de porcelaine non émaillée.

_____

TE 4.1

7. Nommez quatre minéraux industriels qui sont exploités au Québec.

_____

_____

8. Quelle est l'utilité des pierres qui sont exploitées comme matériaux de construction ?

_____

_____

9. Quel type de ressource minérale est utilisé dans chacune des situations suivantes ?

a) Ariane recouvre les murs extérieurs de sa maison avec de la brique.

_____

b) Un joaillier fabrique une bague en or.

_____

c) Une usine de pièces automobiles chauffe ses locaux au pétrole.

_____

d) Pour son cours d'arts plastiques, Maritza achète des crayons à mine, de la peinture et de la craie.

_____

CONCEPT 4.2

 Manuel, p. 312 et 313

Les horizons du sol

Des termes à CONNAÎTRE

1. Complétez les phrases suivantes.

   a) Les _____ sont les différentes couches du sol. On les distingue par leur épaisseur et leur composition.

   b) Le _____ est l'ensemble des différentes couches qui composent un sol.

2. L'illustration ci-dessous présente la composition d'un sol typique.

   a) Nommez les différents horizons de ce sol.

   b) Décrivez la composition de chacun des horizons.

TE 4.2

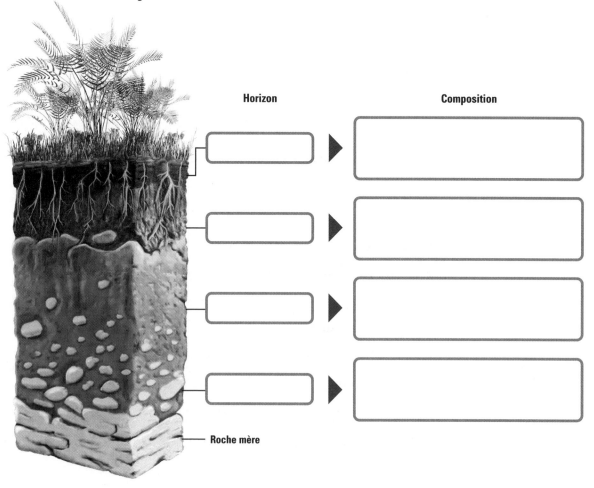

Des concepts à COMPRENDRE

3. Quels facteurs influent sur le profil d'un sol?

   _____

   _____

4. À quel horizon du sol les énoncés ci-dessous font-ils référence?

   a) Cet horizon est composé de roches partiellement altérées.
   Il peut être sableux, argileux ou dur.   _____

   b) Il y a un transfert des éléments nutritifs de cet horizon vers
   l'horizon suivant grâce à l'infiltration des eaux de pluie.   _____

   c) On appelle cet horizon « terre arable ». Son aération est assurée
   par les vers de terre qui y creusent des galeries.   _____

   d) Cet horizon est une zone profonde où s'accumulent des
   particules qui proviennent des horizons supérieurs. Il est
   généralement de couleur plus pâle que les autres horizons ou
   de couleur rouille.   _____

5. Quels processus contribuent à la formation des minéraux présents dans le sol?

   _____

   _____

   _____

TE
4.2

6. Quels agents contribuent à la formation des matériaux d'origine organique qui sont présents dans le sol?

   _____

   _____

   _____

7. À quelle étape du cycle de mûrissement du sol correspond chacune des situations suivantes?

   a) Sous l'action du climat, de l'érosion, des végétaux et des microorganismes, le sol se forme lentement sur la roche mère.

   _____

   b) La roche mère se fissure et le sol s'enrichit d'humus.

   _____

   c) Le sol s'épaissit progressivement pour se profiler en différents horizons.

   _____

CONCEPT 4.3

Manuel, p. 314

La capacité tampon du sol STE

Des termes à CONNAÎTRE

1. Comment appelle-t-on la capacité d'un sol à résister à des variations de pH?

   _____

2. Comment appelle-t-on la réaction chimique qui permet au sol de neutraliser son acidité et de répondre aux changements de pH?

   _____

Des concepts à COMPRENDRE

TE 4.3

3. Quels facteurs influent sur le pH d'un sol?

   _____

   _____

4. Quel pH favorise généralement la croissance des plantes? Entourez la bonne réponse.

   a) Un pH inférieur à 6.   *c)* Un pH supérieur à 8.   *e)* Un pH entre 4 et 6.

   b) Un pH entre 6 et 7.   *d)* Un pH entre 9 et 10.

Des problèmes à RÉSOUDRE

5. À l'aide de la carte ci-dessous, estimez le pourcentage des sols cultivables dans le sud du Québec. Entourez la bonne réponse.

   a) Moins de 20 %

   b) Environ 20 %

   c) Environ 50 %

   d) Environ 70 %

   e) Environ 90 %

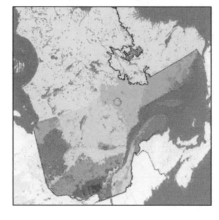

La capacité tampon des sols dans le sud du Québec

Capacité tampon très affectée
Capacité tampon affectée
Capacité tampon peu affectée
Bonne capacité tampon

Manuel, p. 315 à 317

L'épuisement des sols STE

Des termes à CONNAÎTRE

1. Quel phénomène, causé par une perte des matériaux et des éléments nutritifs d'un milieu, diminue la fertilité des sols ?

_____

Des concepts à COMPRENDRE

2. Quels facteurs sont responsables de l'épuisement des sols ? Entourez les bonnes réponses.

   a) Les processus de dégradation physique des sols.

   b) L'érosion hydrique.

   c) La température.

   d) L'érosion éolienne.

   e) Les processus de dégradation chimique des sols.

   f) L'ensoleillement.

TE
4.4

3. Dans le tableau ci-dessous, indiquez le facteur associé à chacune des causes d'épuisement des sols.

Causes d'épuisement des sols	Facteur
La déforestation et le défrichage des haies sur les terres agricoles	
Le compactage des sols par les véhicules et l'étalement des grandes villes	
L'utilisation intensive d'engrais chimiques et les pluies acides	

Des problèmes à RÉSOUDRE

4. À l'aide du planisphère, indiquez si chacun des énoncés ci-dessous est vrai ou faux. Rectifiez l'énoncé lorsqu'il est faux.

La dégradation des sols dans le monde

Équateur

▨ Sols stables et terres sans végétation
▨ Sols moyennement dégradés
▨ Sols très dégradés (risque de désertification) ou désertiques

TE 4.4

a) Le Canada compte très peu de sols stables.

⬭ _____
_____

b) Les sols des États-Unis sont presque tous dégradés ou très dégradés.

⬭ _____
_____

c) Environ le tiers des sols de l'Afrique sont dégradés ou très dégradés.

⬭ _____
_____

CONCEPT 4.5

 Manuel, p. 318 à 320

La contamination des sols STE

Des termes à CONNAÎTRE

1. Nommez le phénomène causé par l'apport de substances nocives provenant principalement de l'activité humaine et qui modifie l'équilibre des sols.

_____

2. Indiquez à quel type de contaminant des sols sont associés les éléments ci-dessous.

   a) Les métaux lourds comme le plomb (Pb), le mercure (Hg), le zinc (Zn), le cadmium (Cd), le nickel (Ni) et l'arsenic (As). _____

   b) Les microorganismes comme les bactéries, les virus et les parasites. _____

   c) Les éléments radioactifs des centrales nucléaires. _____

   d) Les matières organiques mortes. _____

   e) Les hydrocarbures comme le pétrole et ses dérivés. _____

   f) Les accidents qui impliquent des déchets radioactifs. _____

   g) Les produits organiques persistants (POP) comme les solvants et les pesticides. _____

Des concepts à COMPRENDRE

3. Nommez trois sources de contaminants organiques.

   _____

4. Les situations ci-dessous sont responsables de la contamination des sols. Pour chacune d'elles, indiquez de quel type de contaminants il s'agit.

   a) Il arrive parfois que l'usine d'épuration des eaux usées de la ville de Montréal soit surchargée. Elle déverse alors dans le fleuve Saint-Laurent des eaux d'égout non traitées. _____

   b) En 1985, un grave accident s'est produit à la centrale nucléaire de Tchernobyl, en Ukraine. Une grande quantité de matières radioactives s'est alors répandue dans les sols de la ville. _____

   c) Dans les mines d'or, le processus d'extraction du minerai pollue souvent le sol de métaux lourds, comme le plomb. _____

   d) Certaines pratiques agricoles impliquent l'utilisation de pesticides dans les champs cultivés. Les résidus de pesticide peuvent être absorbés par les plantes et rendre celles-ci impropres à la consommation. _____

   e) Certaines pratiques agricoles impliquent l'épandage de grandes quantités d'engrais chimiques. Si la concentration d'engrais est trop élevée, la fertilité et l'activité biologique des sols risquent d'être affectées. _____

TE
4.5

5. D'où proviennent les contaminants inorganiques?

_____

_____

_____

6. Quelles sont les principales causes d'accidents nucléaires?

_____

_____

CONCEPT 4.6

 Manuel, p. 321 et 322

Le pergélisol

Des termes à CONNAÎTRE

TE 4.5

1. Comment appelle-t-on la partie du sol et du sous-sol qui est gelée en permanence pendant au moins deux années consécutives?

_____

2. Comment appelle-t-on la couche superficielle du pergélisol qui dégèle en été?

_____

3. Dans le schéma ci-contre, identifiez les différentes couches qui composent le pergélisol.

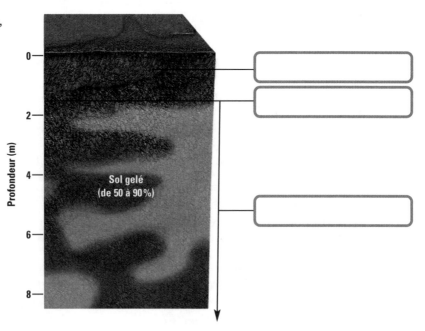

4. Quel type de pergélisol le schéma de la question 3 illustre-t-il?

_____

Des concepts à COMPRENDRE

5. Dans quelles régions se trouve le pergélisol?

_____

6. Complétez le tableau ci-dessous.

Type de pergélisol	Pourcentage de sol gelé
Continu	
Étendu	
Sporadique	

CONCEPT 4.7

 Manuel, p. 323 à 325

TE 4.6

Les ressources énergétiques de la lithosphère

Des termes à CONNAÎTRE

1. Complétez les phrases à l'aide des termes suivants.

- la chaleur interne
- le gaz naturel
- les énergies fossiles
- la géothermie
- le pétrole
- l'uranium
- le charbon
- les combustibles radioactifs

a) Les ressources énergétiques de la lithosphère sont _____, les combustibles radioactifs et _____.

b) Les principaux combustibles fossiles sont _____, _____ et _____.

c) _____, principalement _____, sont issus de minéraux radioactifs tels que la pechblende (UO_2).

d) La géothermie est l'énergie issue de _____ de la Terre.

Des concepts à COMPRENDRE

2. Parmi les trois ressources énergétiques de la lithosphère, indiquez :

   a) celle qui est une énergie renouvelable.

   _____

   b) celle qui est une source de gaz à effet de serre.

   _____

   c) celle qui génère des déchets très dangereux comme le plutonium.

   _____

3. Quel est le principal combustible radioactif que produit le Canada ?

   _____

4. Quel élément du tableau périodique est toujours présent dans la composition des trois principaux combustibles fossiles ?

   _____

5. Quel pourcentage de toute l'énergie utilisée par les humains provient des combustibles fossiles ? Entourez la bonne réponse.

   a) Plus de 80 %   *b)* Entre 50 et 80 %   *c)* Entre 25 et 50 %   *d)* Moins de 25 %

6. Pourquoi ne considère-t-on pas les combustibles fossiles comme une énergie renouvelable ?

   _____

   _____

   _____

7. On distingue deux types d'énergie géothermique : la géothermie de haute énergie et la géothermie de très basse énergie.

   En Islande, une région volcanique très active, on utilise l'énergie issue des vapeurs d'eaux chaudes pressurisées dont la température est supérieure à 150 °C pour chauffer les maisons en hiver.

   Les Islandais utilisent-ils la géothermie de haute énergie ou la géothermie de basse énergie ?

   _____

   _____

TE 4.7

CONCEPT 5.1

 Manuel, p. 330 à 334

Les biomes terrestres

Des termes à CONNAÎTRE

1. Complétez les phrases à l'aide des termes suivants.

   - biome terrestre
   - canopée
   - désert
   - forêt tempérée
   - forêt tropicale
   - prairie tempérée
   - savane tropicale
   - taïga
   - toundra

   a) Un _____ correspond à une vaste communauté d'organismes vivants qui se répartissent dans une région climatique continentale.

   b) La _____ humide abrite la plus grande diversité d'espèces animales et végétales de la planète, soit plus de la moitié des espèces connues.

   c) La _____ correspond aux vastes plaines semi-arides situées dans la zone intertropicale, en Afrique, en Amérique centrale et en Australie.

   d) La _____, aussi appelée « forêt boréale », est une forêt de conifères située au sud de la toundra.

   e) La _____ est l'ensemble des cimes des arbres de la forêt tropicale qui forme un écosystème particulier.

   f) La _____ est une vaste étendue d'herbes qu'on trouve sous les latitudes moyennes, en Amérique du Nord, en Amérique du Sud et en Eurasie.

   g) La _____ est une végétation basse qui forme une large couronne autour du cercle polaire arctique et qui est composée principalement de mousses, de lichens, d'herbes et d'arbustes rabougris.

   h) Le _____ est un milieu aride où la présence d'organismes vivants est rare en raison de la pauvreté du sol et du manque de précipitations.

   i) La _____ est surtout présente dans l'hémisphère Nord. Sa végétation est composée principalement de feuillus (bouleaux, chênes, peupliers, érables, etc.).

2. À quel biome terrestre fait référence chacun des énoncés suivants ?

   a) La température de ce biome est chaude et constante (de 25 °C à 30 °C en moyenne) tout au long de l'année. Les précipitations y sont abondantes.   _____

   b) Ce biome est présent dans les régions aux saisons très contrastées où tombent régulièrement d'importantes précipitations sous forme de pluie et de neige. Les hivers y sont doux et humides et les étés y sont généralement chauds.   _____

TE
5.1

c) On trouve dans ce biome quelques arbres et arbustes dispersés (acacias, baobabs, eucalyptus, etc.) ainsi que de nombreuses espèces animales (lions, girafes, hyènes, etc.). _____

d) Ce biome s'étend près de l'équateur, dans la zone intertropicale de l'Amérique du Sud, de l'Asie du Sud-Est et de l'Afrique équatoriale. _____

e) Ce biome se développe sur le pergélisol et est recouvert, près de 11 mois par année, par de la neige qui y maintient les températures très basses. _____

f) Ce biome représente plus de 25 % des forêts de la planète. Les hivers y sont très longs, froids et enneigés. Les étés courts et assez chauds favorisent la croissance des sapins et des épinettes. _____

g) Les précipitations de ce biome sont très variables au fil de l'année. Il y existe une saison des pluies et une période de sécheresse. _____

h) Ce biome est caractérisé par de longs hivers froids et des étés ponctués de périodes de sécheresse. _____

i) La température quotidienne de ce biome est très contrastée (journées très chaudes et nuits très froides). Ce biome est également caractérisé par un sol très pauvre en nutriments et un manque de précipitations. _____

TE
5.1

Des concepts à **COMPRENDRE**

3. Nommez chacun des biomes illustrés ci-dessous.

_____ _____ _____

_____ _____ _____

4. Associez chaque biome de la colonne de gauche au groupe faunique susceptible de s'y trouver.

Le désert	Antilope, lion, hyène, girafe
La savane tropicale	Bison, cerf, antilope
La prairie tempérée	Perroquet, singe, puma, tigre
La taïga	Orignal, ours, caribou, loup
La toundra	Scorpion, serpent, chameau
La forêt tropicale	Caribou, harfang des neiges, mouches noires, lemmings, renard arctique

5. Répondez aux questions à l'aide du planisphère ci-dessous.

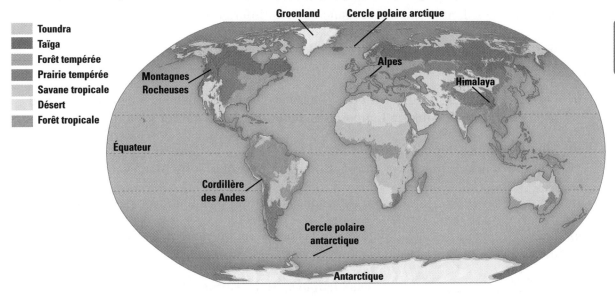

La distribution des principaux biomes terrestres

Légende :
- Toundra
- Taïga
- Forêt tempérée
- Prairie tempérée
- Savane tropicale
- Désert
- Forêt tropicale

a) Nommez les trois principaux biomes d'Afrique.

_____

_____

_____

b) Quel biome trouve-t-on dans le sud du Québec ?

_____

c) Quel est le principal biome du Québec ?

_____

Manuel, p. 335 à 339

Les biomes aquatiques

Des termes à CONNAÎTRE

1. Complétez les phrases à l'aide des termes suivants.

- biomes aquatiques
- biomes dulcicoles
- biomes marins
- cours d'eau
- deltas
- estuaires
- lacs
- récifs coralliens
- terres humides
- zone benthique
- zone littorale
- zone néritique
- zone pélagique

a) Les _____ correspondent à de vastes communautés d'organismes vivants qui se répartissent dans des étendues d'eau douce ou d'eau salée.

b) Les _____ comprennent toutes les eaux courantes, stagnantes et continentales dont la salinité est généralement inférieure à 1 g/L.

c) Les _____ sont caractérisés par leur flux d'eau (ou « courant »), dont la vitesse peut varier selon le relief, les conditions météorologiques et les saisons.

d) Les _____ sont des étendues d'eau généralement stagnante, très peu profondes, permanentes ou temporaires, telles que les marais et les tourbières.

e) Situés à l'embouchure des fleuves, les _____ et les _____ sont des zones de transition entre les biomes dulcicoles et les biomes marins.

f) Les _____ sont de grandes étendues d'eau bordées par des terres.

g) Les _____ regroupent les océans et les mers et ils couvrent près de 71 % de la surface de la Terre.

h) La _____, ou eaux côtières, est constituée des eaux peu profondes et éclairées, le long des côtes des continents.

i) La _____ océanique comprend l'ensemble du volume des eaux situées au large de la zone néritique.

j) Dans les zones néritiques généralement chaudes, les _____ forment un biome distinct autour des îles volcaniques ou sur le plateau continental.

k) Située à la frontière entre la terre et la mer, la _____ est soumise en permanence au flux et au reflux des marées et des vagues.

l) La _____ océanique comprend tous les fonds marins qui s'étendent du plateau continental aux grandes profondeurs marines qu'on appelle « abysses ».

2. Indiquez si chacun des énoncés suivants est vrai ou faux. Rectifiez l'énoncé lorsqu'il est faux.

a) Les biomes dulcicoles occupent 99 % de la surface de la planète.

b) La zone profonde d'un lac est généralement riche en dioxygène (O_2).

c) Les marais et les tourbières sont des terres humides qui peuvent être remblayées sans problème puisqu'elles ne jouent pas de rôle important dans l'écologie des biomes dulcicoles.

d) Les deltas et les estuaires sont pauvres en nutriments.

e) Les deltas et les estuaires constituent des zones d'alimentation et de reproduction pour de nombreuses espèces animales.

f) Les océans, les mers, les deltas et les estuaires font partie des biomes marins.

g) La zone néritique a une profondeur de plus de 200 m.

h) Il est possible de pêcher le homard, le crabe et la morue dans la zone néritique.

i) La zone benthique océanique représente 90 % de toutes les eaux marines.

j) La zone pélagique océanique est responsable de près de 40 % de la photosynthèse de la biosphère.

3. Quels biomes aquatiques sont qualifiés de biomes dulcicoles ?

_____

_____

4. Dans l'illustration ci-dessous, identifiez les différentes zones du profil d'un lac.

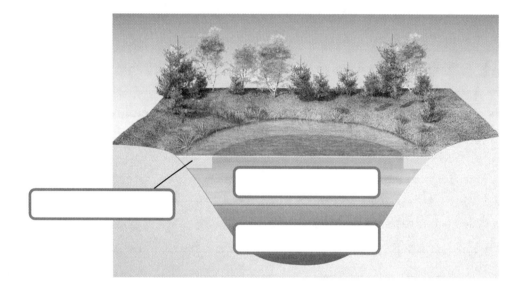

5. Dans l'illustration ci-dessous, identifiez les différentes zones d'un biome marin.

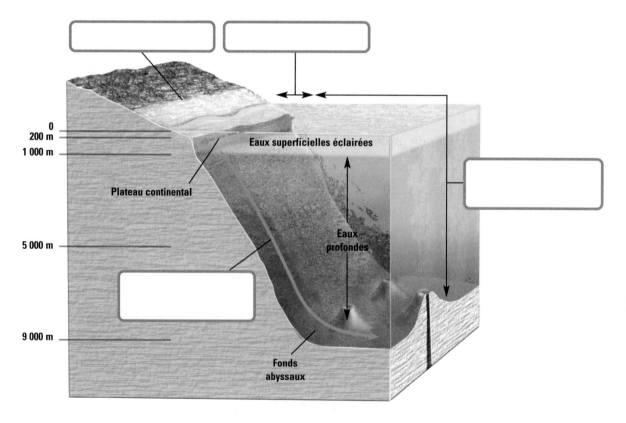

CONCEPT 5.3

Manuel, p. 340 à 344

Les facteurs influençant la distribution des biomes

Des termes à CONNAÎTRE

1. Classez les facteurs suivants selon qu'ils influencent la distribution géographique des biomes terrestres ou des biomes aquatiques. Un même facteur peut être utilisé plus d'une fois.

- la nature des roches
- la profondeur océanique
- le climat
- le relief
- la nature des sols des continents
- la proximité des biomes terrestres
- les paramètres physicochimiques de l'eau

Facteurs influençant la distribution des biomes terrestres	Facteurs influençant la distribution des biomes aquatiques

2. Quels sont les quatre principaux facteurs climatiques qui influencent la composition des biomes terrestres ?

_____

Des concepts à COMPRENDRE

3. Nommez trois facteurs physicochimiques qui influencent la distribution des biomes aquatiques.

_____

_____

_____

4. Pourquoi y a-t-il peu d'organismes vivants dans les eaux profondes de l'océan ?

_____

_____

_____

_____

TE
5.3

5. Répondez aux questions à l'aide du graphique ci-dessous.

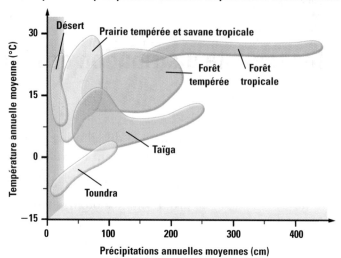

Température et précipitations annuelles moyennes des biomes terrestres

a) La prairie tempérée, la forêt tempérée et le désert ont-ils des températures différentes ?

_____

_____

b) Quel biome présente la plus grande variation de précipitations ?

_____

c) Dans quels biomes y a-t-il une température moyenne annuelle de 14 °C et des précipitations annuelles de 75 cm ?

_____

DÉFI

6. Des facteurs géographiques et géologiques influencent la distribution des biomes sur Terre. Parmi les facteurs suivants, indiquez lesquels sont de nature géographique et lesquels sont de nature géologique.

- l'altitude
- la présence de grandes étendues d'eau
- la teneur en humus des sols
- la texture et la structure des sols

- la nature des roches
- la présence de hauts reliefs
- la teneur en minéraux des sols

Facteurs géographiques	Facteurs géologiques

CONCEPT 6.1

 Manuel, p. 348 à 351

Le cycle du carbone

Des termes à CONNAÎTRE

1. Complétez la phrase suivante.

Le cycle du carbone correspond à la _____ et aux échanges de carbone (C)

entre les différentes composantes de la _____ .

Des concepts à COMPRENDRE

2. À l'aide de l'illustration ci-contre, répondez aux questions.

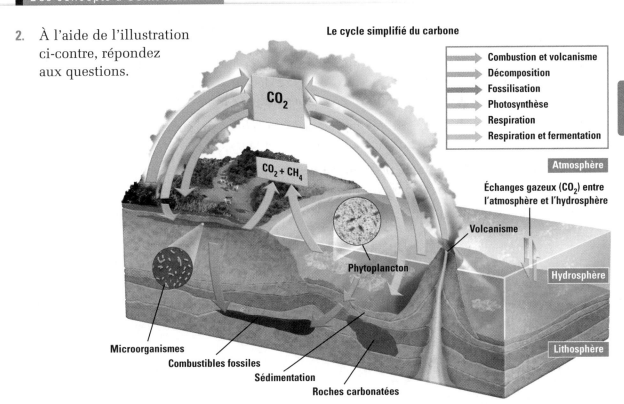

Le cycle simplifié du carbone

Combustion et volcanisme
Décomposition
Fossilisation
Photosynthèse
Respiration
Respiration et fermentation

CO_2

$CO_2 + CH_4$

Atmosphère

Échanges gazeux (CO_2) entre l'atmosphère et l'hydrosphère

Volcanisme

Phytoplancton

Hydrosphère

Microorganismes

Combustibles fossiles

Sédimentation

Roches carbonatées

Lithosphère

TE 6.1

a) Nommez les quatre processus biochimiques et géochimiques qui libèrent du carbone (C) dans l'atmosphère.

_____

b) Quel processus biochimique capte le carbone (C) du dioxyde de carbone (CO_2) atmosphérique afin d'en permettre l'absorption par les végétaux ?

_____

c) Nommez les deux processus responsables du stockage du carbone dans le sol.

_____

3. Lequel de ces réservoirs naturels contient le moins de dioxyde de carbone (CO_2) : l'atmosphère, l'hydrosphère ou la lithosphère ?

_____

4. Lesquels des processus biochimiques suivants sont rapides ? Entourez les bonnes réponses.

a) La photosynthèse.   *b)* La sédimentation.   *c)* La fossilisation.   *d)* La respiration.

5. À l'aide du schéma ci-contre, répondez aux questions.

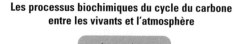
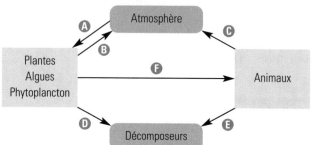

Les processus biochimiques du cycle du carbone entre les vivants et l'atmosphère

a) Quelle flèche correspond au processus de photosynthèse ?

_____

b) Quelles flèches correspondent au processus de respiration ?

_____

6. Les processus géochimiques assurent le transfert du carbone entre l'atmosphère, l'hydrosphère et la lithosphère. L'un de ces processus se déroule dans les mers et les océans alors qu'un autre se déroule dans les tourbières et les milieux humides.

Placez dans le bon ordre les différentes étapes du cycle du carbone (C) décrites dans les encadrés afin de reconstituer chacun des processus.

a) Le processus géochimique des mers et des océans.

> **1.** Une partie du carbone est utilisée par des animaux marins pour fabriquer leur coquille ou leur squelette externe qui est constitué de carbonate de calcium ($CaCO_3$).
> **2.** Au terme de millions d'années, les sédiments marins se transforment en roches sédimentaires comme le calcaire.
> **3.** Du CO_2 atmosphérique se dissout dans l'eau.
> **4.** Lorsque les organismes marins meurent, leurs restes se déposent et s'accumulent sur les fonds océaniques sous forme d'épais sédiments.

b) Le processus géochimique des tourbières et des milieux humides.

> **1.** Les plantes meurent et la matière organique s'accumule au fond du milieu humide.
> **2.** La matière organique accumulée dans les milieux humides se transforme en tourbe.
> **3.** Du CO_2 atmosphérique est absorbé par les plantes.
> **4.** Au terme de millions d'années, la tourbe se transforme en charbon ou en pétrole.

TE 6.1

CONCEPT 6.2

 Manuel, p. 352 à 354

Le cycle de l'azote

Des termes à CONNAÎTRE

1. À l'aide d'un trait, associez les termes de la colonne de gauche à leur définition.

Cycle de l'azote	Processus qui convertit le diazote gazeux (N_2) de l'atmosphère en azote disponible pour les organismes vivants.
Ammonification	Circulation et échanges d'azote (N) entre les différentes composantes de la biosphère.
Dénitrification	Transformation de l'ammoniac (NH_3) ou de l'ammonium (NH_4^+) en nitrites (NO_2^-), puis en nitrates (NO_3^-).
Fixation de l'azote	Transformation des molécules organiques azotées (par exemple, les protéines) en ammoniac (NH_3) ou, dans l'eau, en ammonium (NH_4^+).
Nitrification	Processus qui transforme les nitrates (NO_3^-) du sol ou de l'eau en diazote gazeux (N_2) et en oxyde de diazote (N_2O).

TE
6.2

Des concepts à COMPRENDRE

2. Indiquez si chacun des énoncés suivants est vrai ou faux. Rectifiez l'énoncé lorsqu'il est faux.

   a) L'azote (N) est un constituant essentiel des protéines, de l'ADN et des glucides.

   _____ _____
          _____

   b) L'atmosphère est la principale source d'azote (N).

   _____ _____
          _____

   c) L'ammonification se produit au moment où les animaux absorbent la matière organique.

   _____ _____
          _____

d) La fixation de l'azote est principalement assurée par la fixation biologique bactérienne.

_____
_____

e) La nitrification est un processus très lent, produit par les plantes.

_____
_____

3. À l'aide de l'illustration ci-contre, répondez aux questions.

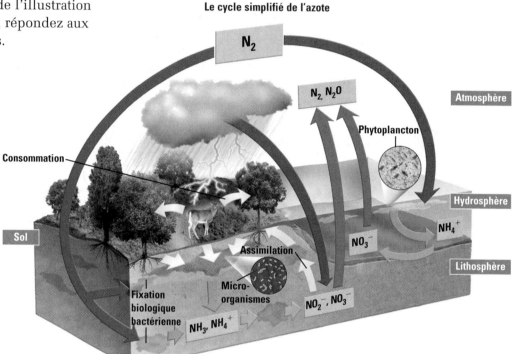

Le cycle simplifié de l'azote

a) Nommez l'étape du cycle de l'azote qui est associée à chacune des flèches de l'illustration.

- Les flèches orangées : _____
- Les flèches vertes : _____
- Les flèches rouges : _____
- Les flèches bleues : _____

b) Que produisent les bactéries au moment de la fixation du diazote gazeux (N_2) ?

_____

c) Sous quelle forme les végétaux absorbent-ils l'azote ?

_____

d) Dans le cycle de l'azote, quelle étape précède l'absorption de l'azote par les végétaux ?

_____

e) À quel moment les animaux assimilent-ils l'azote ?

_____

4. Dimitri a un potager. Une analyse du sol révèle que celui-ci est pauvre en azote. Que pourrait cultiver Dimitri dans son potager afin d'y enrichir le sol en azote?

a) Du maïs.

b) Des légumineuses.

c) Des tomates et des concombres.

d) Des pommes de terre.

e) Des carottes, des betteraves et des navets.

CONCEPT 6.3

Manuel, p. 355 et 356

Le cycle du phosphore STE

Des termes à **CONNAÎTRE**

1. Complétez la phrase suivante.

Le cycle du phosphore correspond à la circulation et aux échanges de phosphore (P) entre

les êtres vivants, _____ et _____.

TE
6.2

Des concepts à **COMPRENDRE**

2. Nommez les trois constituants du vivant (molécules, tissus ou organes) qui contiennent du phosphore (P).

_____

_____

3. Indiquez si chacun des énoncés suivants est vrai ou faux. Rectifiez l'énoncé lorsqu'il est faux.

a) L'essentiel du phosphore utilisé par les vivants provient de l'atmosphère.

_____

_____

b) Dans son cycle, le phosphore se présente toujours sous la forme de l'ion phosphate (PO_4^{3-}).

_____

_____

c) À la fin de son cycle, le phosphore retourne au sol par l'action des décharges électriques émises durant les orages.

_____

_____

d) Tout comme le carbone et l'azote, le phosphore possède une composante gazeuse qui affecte l'atmosphère.

☐ _____

_____

e) Le phosphate (PO_4^{3-}) est directement assimilable par les végétaux.

☐ _____

_____

4. À l'aide de l'illustration ci-dessous, répondez aux questions.

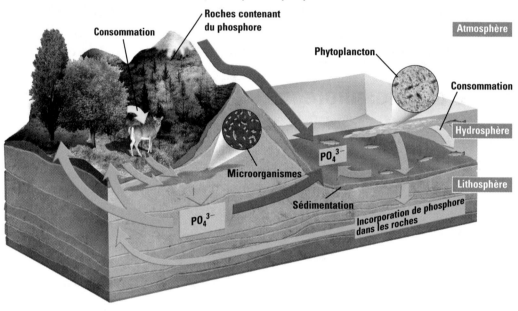

Le cycle simplifié du phosphore

a) Nommez l'étape du cycle du phosphore qui est associée à chacune des flèches illustrées.

- Les flèches orangées : _____

_____

- Les flèches vertes à partir de PO_4^{3-} : _____

_____

- Les flèches bleues : _____

_____

b) Au début du cycle, d'où provient la majorité du phosphore ?

_____

c) À quel moment les animaux et les organismes marins absorbent-ils le phosphore ?

_____

UNIVERS VIVANT

CONCEPT 1.1

Manuel, p. 366 à 371

L'étude des populations

Des termes à CONNAÎTRE

1. Complétez les phrases à l'aide des termes suivants.

- la capacité limite du milieu
- la croissance
- la densité
- la distribution
- la taille
- le cycle biologique
- l'étude des populations
- un facteur abiotique
- un facteur biotique
- un facteur limitant
- une population
- un facteur écologique

a) _____ est l'étude de la taille, de la densité et de la distribution des populations dans un territoire donné, ainsi que de leur évolution dans le temps.

b) _____ est l'ensemble des individus d'une même espèce qui occupent un territoire donné à un moment donné.

c) _____ d'une population correspond au nombre total d'individus qui la composent.

d) _____ d'une population s'exprime en nombre d'individus par unité de surface ou en nombre d'individus par volume d'eau.

e) _____ d'une population, également appelée « dispersion », est la manière dont les individus de cette population se répartissent sur un territoire.

f) _____ est un élément du milieu qui peut avoir un impact sur les populations.

g) _____ correspond à un élément non-vivant d'origine chimique ou physique, qui peut avoir un impact sur une population.

h) _____ d'une population correspond à l'augmentation ou à la diminution de la taille de cette population.

i) Un territoire ou un milieu donné ne peut supporter qu'un nombre maximal d'individus. C'est ce qu'on appelle _____.

j) _____ est un facteur écologique qui influe sur la taille des populations en freinant leur croissance.

UV
1.1

k) _____ d'une population correspond aux différents stades de vie des individus d'une espèce, de leur naissance à leur mort, en passant par leur reproduction.

l) _____ est un élément, en lien avec les différents organismes vivants, qui peut avoir un impact sur une population.

Des concepts à COMPRENDRE

2. À quel élément de l'étude des populations correspond chacun des énoncés suivants ?

- la taille d'une population
- le cycle biologique d'une population
- la densité d'une population
- la capacité limite du milieu

a) Le 8 juillet 2007, il y avait 1 564 pissenlits sur la pelouse de monsieur Lafleur. _____

b) Il y a environ 20 pissenlits par m² sur la pelouse de madame Dubois. _____

c) Ce sont les feuilles des pissenlits qui poussent d'abord. Puis, une fleur jaune éclôt. La fleur se transforme en graines qui sont ensuite emportées par le vent. _____

d) Sur une pelouse, la population de pissenlits est limitée par les ressources nutritives du sol. _____

UV
1.1

3. Les schémas ci-dessous illustrent trois types de distribution d'une population.

A    B   C

a) Lequel de ces schémas illustre une distribution en agrégats ? _____

b) Lequel de ces schémas illustre une distribution aléatoire ? _____

c) Lequel de ces schémas illustre une distribution uniforme ? _____

4. Quels sont les deux facteurs biotiques qui entraînent une augmentation de la taille d'une population ?

_____

5. Quels sont les deux facteurs biotiques qui entraînent une diminution de la taille d'une population ?

_____

6. Parmi les facteurs écologiques suivants, indiquez lesquels sont des facteurs biotiques et lesquels sont des facteurs abiotiques.

a) Des bactéries présentes dans le sol favorisent la croissance des plantes. _____

b) Des métaux lourds, comme le mercure, nuisent à la santé des bélugas dans le fleuve Saint-Laurent. _____

c) Les pluies acides nuisent à la reproduction des salamandres. _____

d) Une surpopulation de lièvres entraîne une forte compétition pour la nourriture entre les individus. _____

e) Un nombre élevé de buses (oiseau prédateur) entraîne une diminution de la population de gélinottes. _____

7. En 2008, la population de caribous dans le nord du Québec était de plus de un million d'individus. Durant les quelques années précédant 2008, les biologistes avaient remarqué que les femelles étaient plus maigres et que leurs veaux avaient un poids plus petit à la naissance. De plus, la mortalité des petits caribous avait augmenté et le lichen dont ces bêtes se nourrissent était devenu plus rare.

Vrai ou faux ?

	Vrai	Faux
a) En 2008, les caribous avaient tout juste atteint la capacité limite du milieu.	☐	☐
b) En 2008, les biologistes pouvaient prévoir une augmentation de la mortalité des caribous.	☐	☐
c) En 2008, les biologistes pouvaient prévoir que la taille de la population de caribous allait beaucoup diminuer au cours des années suivantes.	☐	☐

UV 1.1

8. À l'aide du graphique ci-contre, répondez aux questions.

a) En quelle année la population de caribous a-t-elle atteint la capacité limite du milieu ?

_____

b) Si on extrapole à partir des données du graphique, comment aura évolué la taille de cette population en 2040 ?

_____

_____

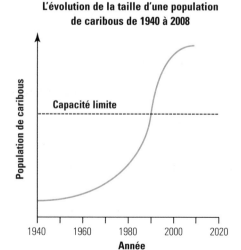

L'évolution de la taille d'une population de caribous de 1940 à 2008

Des problèmes à RÉSOUDRE

9. Béatrice possède une érablière de 40 hectares. Sur une superficie de 3 hectares, elle a dénombré 358 érables. Quelle est la taille de la population des érables dans cette érablière ?

   Laissez des traces de votre démarche.

   Réponse : _____

10. Des agents de la faune veulent estimer l'abondance de lièvres d'Amérique sur un territoire donné. Pour ce faire, ils utilisent la méthode de capture-marquage-recapture. Sur un territoire de 40 km², ils installent 160 cages appâtées. Ils capturent alors 122 lièvres qu'ils marquent à l'aide d'une tache de teinture rouge sur le dos. Après quelques jours, ils réinstallent les cages et capturent alors 102 lièvres dont 12 sont marqués.

   a) Quelle est la taille de la population de lièvres de ce secteur ?

   Laissez des traces de votre démarche.

   UV
   1.1

   Réponse : _____

   b) Quelle est la densité de cette population ?

   Laissez des traces de votre démarche.

   Réponse : _____

CONCEPT 1.2

Manuel, p. 372 à 375

La dynamique des communautés

Des termes à CONNAÎTRE

1. Complétez les phrases à l'aide des termes suivants.

- La biodiversité
- La dynamique des communautés
- La succession primaire
- Une communauté
- Une niche écologique
- Une succession écologique

- L'abondance relative
- La richesse spécifique
- La succession secondaire
- Une interaction interspécifique
- Une perturbation

a) _____ est l'ensemble des interactions entre des populations d'espèces différentes qui partagent le même habitat.

b) _____ est un ensemble de populations d'espèces différentes qui interagissent les unes avec les autres au sein d'un même habitat.

c) _____ est une façon, particulière à chaque espèce, d'utiliser les ressources de l'habitat pour survivre et se reproduire.

d) _____ est une relation entre des individus d'espèces différentes.

e) _____ est un événement qui modifie temporairement ou durablement les conditions d'un milieu.

f) _____ d'une communauté correspond à sa diversité spécifique, c'est-à-dire à la variété des espèces qui la composent.

g) _____ correspond au nombre total d'espèces dans une communauté.

h) _____ désigne la taille des populations de chaque espèce dans une communauté, comparées les unes par rapport aux autres.

i) _____ est un processus d'évolution graduel de la composition d'une communauté à la suite d'une perturbation d'origine naturelle ou causée par l'activité humaine.

j) _____ se produit lorsque des espèces pionnières colonisent un nouveau milieu.

k) _____ est un processus de renouvellement de la communauté qui se produit dans un milieu perturbé, mais dont le sol est relativement épargné.

2. Indiquez à quelle interaction interspécifique correspond chacun des énoncés suivants.

   a) Relation entre différentes espèces qui doivent partager
      des ressources communes limitées, comme la nourriture,
      la lumière, l'eau ou le territoire.   _____

   b) Relation dans laquelle une espèce profite d'une autre espèce
      en lui étant nuisible.   _____

   c) Relation dans laquelle une espèce profite d'une autre espèce
      sans lui nuire ni l'aider.   _____

   d) Relation dans laquelle une espèce en consomme une autre
      pour se nourrir.   _____

   e) Relation dont dépend la survie des deux espèces impliquées.   _____

   f) Relation de coopération entre deux espèces. Cette relation n'est
      pas essentielle à la survie de chacune des espèces, mais elle
      leur apporte un avantage mutuel.   _____

Des concepts à COMPRENDRE

3. Un forestier a séparé son terrain en deux parties égales. La partie A est restée à l'état naturel. On y trouve 12 % de bouleaux, 40 % de sapins, 18 % de mélèzes et 30 % d'érables.
   La partie B a été presque entièrement coupée. On y a laissé 6 % de bouleaux et 4 %
   d'érables, et on y a replanté 80 % de pins et 10 % de cèdres.

   UV
   1.2

   a) Quelle partie du terrain a la plus grande richesse spécifique ? Justifiez votre réponse.

      _____

      _____

   b) Quelle partie du terrain a la plus grande biodiversité ? Justifiez votre réponse.

      _____

      _____

4. À quel type de succession correspond chacun des énoncés suivants ?

   • succession écologique   • succession primaire   • succession secondaire

   a) Au large de l'Islande, une nouvelle île surgit de la mer
      sous la poussée des forces de l'écorce terrestre. Peu à
      peu la vie s'y installe. Du lichen y apparaît, puis
      des fougères, de l'herbe et des arbustes.   _____

   b) Un champ, autrefois cultivé, redevient peu à peu
      une forêt de conifères. Le foin est remplacé par
      des plantes à fleur, des arbustes, puis des arbres.   _____

   c) À la suite d'un feu de forêt, les pins gris, les épilobes
      et les bleuets remplacent les arbres brûlés.   _____

5. Associez chacun des énoncés de gauche à l'interaction interspécifique qui y correspond.

L'orignal fait parfois concurrence au cerf de Virginie, car tous deux se nourrissent des mêmes espèces végétales.	Compétition
Les ours s'attaquent aux faons des cerfs de Virginie et des orignaux.	Commensalisme
Le lichen pousse sur les branches des conifères sans affecter ces arbres.	Symbiose
L'orignal digère la cellulose des ramilles et des branches des arbres grâce à des bactéries qui vivent dans son intestin.	Prédation
Les écureuils et les oiseaux sont souvent infestés par les puces.	Parasitisme
Les abeilles permettent la pollinisation des plantes.	Mutualisme

UV
1.2

CONCEPT 1.3

 Manuel, p. 376 à 380

La dynamique des écosystèmes

Des termes à CONNAÎTRE

1. Complétez les phrases à l'aide des termes suivants. Un même terme peut être utilisé plus d'une fois.

- biomasse
- énergie
- productivité primaire
- pyramide écologique
- un milieu
- consommateurs
- matière
- pyramide des biomasses
- relations trophiques
- décomposeurs
- producteurs
- pyramide des énergies
- une communauté

a) La dynamique des écosystèmes correspond aux échanges de _____ et d'_____ entre une communauté d'organismes vivants et son milieu.

b) Les écosystèmes sont composés d'_____ (le vivant) et d'_____ (le non-vivant), qui sont en constante interaction.

c) Les _____ sont l'ensemble des relations alimentaires entre les organismes vivants d'un écosystème.

d) Les relations trophiques s'établissent entre trois niveaux trophiques, également appelés « niveaux alimentaires », qui sont : les _____, les _____ et les _____.

e) Le flux de _____ et d'_____ correspond aux transferts de matière et d'énergie tout au long de la chaîne alimentaire.

f) La masse totale de matière organique de l'ensemble des organismes vivants dans un écosystème est appelée la _____.

g) Le flux de matière et d'énergie d'une communauté ou d'un écosystème peut être représenté par un schéma appelé la _____.

h) La _____ présente la masse totale de matière organique de l'ensemble des organismes vivants à chaque niveau trophique de la chaîne alimentaire.

i) La _____ présente l'énergie chimique disponible à chaque niveau trophique d'une chaîne alimentaire.

j) La _____ est la quantité totale de nouvelle matière organique produite par les producteurs d'un écosystème au cours d'une période donnée.

UV
1.3

2. Quelles sont les catégories d'organismes vivants décrits dans les énoncés ci-dessous ?

a) Organismes vivants qui tirent leur énergie de la décomposition de matières organiques mortes ou de déchets organiques qui proviennent d'organismes vivants.   _____

b) Organismes vivants à la base de presque toutes les chaînes alimentaires de la biosphère. Grâce à la photosynthèse, ils captent l'énergie rayonnante du Soleil et convertissent de la matière inorganique en matière organique.   _____

c) Décomposeurs qui effectuent une transformation complète de la matière organique en matière inorganique.   _____

d) Organismes (végétaux, algues et phytoplancton) qui ont la capacité de fabriquer de la matière organique à partir de matière inorganique (dioxyde de carbone [CO_2], eau, sels minéraux).   _____

e) Organismes vivants qui se nourrissent d'autres vivants. _____

f) Organismes vivants incapables de fabriquer de la
matière organique à partir de matière inorganique. _____

g) Décomposeurs qui se nourrissent uniquement
de détritus. _____

3. Comment appelle-t-on la représentation des relations trophiques entre différents organismes vivants ?

_____

4. Comment appelle-t-on un ensemble de chaînes alimentaires reliées entre elles ?

_____

Des concepts à COMPRENDRE

5. Indiquez si chacun des énoncés suivants est vrai ou faux. Rectifiez l'énoncé lorsqu'il est faux.

a) Dans une pyramide de biomasse, la biomasse des consommateurs tertiaires est plus
grande que celle des producteurs.

b) Dans une chaîne alimentaire, le transfert d'énergie d'un niveau trophique à l'autre est
de plus de 90 %.

c) La biomasse d'un écosystème équivaut à la masse totale de tous les producteurs présents dans cet écosystème.

d) Le recyclage chimique de la matière a lieu principalement dans les grands cycles
biogéochimiques comme les cycles du carbone (C), de l'azote (N) et du phosphore (P).

e) La productivité primaire dépend à la fois de l'insolation, de la teneur en dioxyde
de carbone (CO_2) de l'air et de la disponibilité de l'eau et des nutriments (azote,
phosphore, etc.).

UV
1.3

6. À l'aide de l'illustration ci-dessous, répondez aux questions.

Un réseau alimentaire dans un écosystème marin

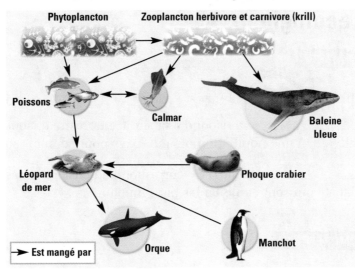

a) Nommez les composantes de deux chaînes alimentaires présentes dans ce réseau.

_____

_____

_____

_____

b) Quel est le producteur à la base de ce réseau ? _____

c) Nommez deux consommateurs de ce réseau qui appartiennent au premier niveau.

_____

d) Dans ce réseau, les poissons sont-ils des consommateurs de premier, de deuxième ou de troisième niveau ? Justifiez votre réponse.

_____

_____

_____

_____

_____

e) Nommez deux consommateurs de ce réseau qui appartiennent au troisième niveau.

_____

f) Selon ce réseau, qu'arriverait-il aux baleines bleues si le zooplancton disparaissait ?

_____

CONCEPT 1.4

 Manuel, p. 381 et 382

L'empreinte écologique STE

Des termes à CONNAÎTRE

1. Complétez les phrases suivantes.

   a) _____ correspond à la surface terrestre et aquatique totale nécessaire à un individu, à une population ou à un pays pour soutenir son mode de vie.

   b) _____ de la Terre correspond à l'ensemble des surfaces productives de la planète qui sont exploitables par l'humain.

Des concepts à COMPRENDRE

2. La famille Dupuis habite un logement de cinq pièces au troisième étage d'un immeuble à Montréal. La famille Carmel occupe, à Joliette, une maison de cinq pièces avec un sous-sol, un grand terrain, une piscine et un cabanon. Quelle famille a la plus grande empreinte écologique?

   _____

UV 1.4

Des problèmes à RÉSOUDRE

3. Une famille de paysans africains est composée de six personnes. Tous ensemble, ils cultivent un champ de maïs de 2 ha, un champ d'arachides de 1,5 ha, une bananeraie de 3 ha et un potager de 0,1 ha. De plus, ils ont une maison entourée d'une cour de 0,3 ha. Au bout de leur terre, ils possèdent un dépotoir de 0,2 ha. Ils vont aussi pêcher dans une portion d'un ruisseau qui mesure 0,7 ha. Enfin, ils possèdent 3 chèvres qui font partie du troupeau de 25 chèvres du village. Les chèvres broutent dans un champ commun de 25 ha.

   Quelle est l'empreinte écologique d'une personne de cette famille?

   Laissez des traces de votre démarche.

   Réponse: _____

CONCEPT 1.5

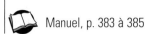 Manuel, p. 383 à 385

L'écotoxicologie STE

Des termes à CONNAÎTRE

1. Associez chacune des définitions à l'un des termes suivants.

- bioaccumulation
- bioamplification
- bioconcentration
- contaminants
- dose létale 50
- écotoxicologie
- seuil de toxicité
- toxicité
- toxicité aiguë
- toxicité à long terme

a) Étude des mécanismes de contamination des écosystèmes et de l'effet de cette contamination sur les organismes vivants.   _____

b) Substances issues de l'activité humaine qui perturbent les écosystèmes.   _____

c) Mesure de la capacité d'un contaminant de nuire à un être vivant.   _____

d) Concentration minimale de contaminant qui cause des effets nuisibles à un organisme vivant.   _____

e) Toxicité qui entraîne des effets nuisibles immédiats.   _____

f) Toxicité qui entraîne des effets nuisibles qui se produisent longtemps après l'exposition au contaminant ou à la suite d'une exposition prolongée à de faibles concentrations de contaminant.   _____

g) Dose d'un contaminant qui cause la mort de 50 % des individus qui y sont exposés.   _____

h) Absorption d'un contaminant et accumulation de celui-ci dans les tissus d'un organisme vivant.   _____

i) Absorption d'un contaminant présent dans le milieu ambiant et accumulation de celui-ci à une concentration supérieure à celle présente dans l'environnement.   _____

j) Accumulation de certains contaminants dans des organismes à la suite de l'ingestion d'espèces du niveau trophique précédent.   _____

UV
1.5

Des concepts à COMPRENDRE

2. À quel élément de l'écotoxicologie font référence les énoncés suivants ?

a) Une dose de 3 mg/kg d'un insecticide tuera la moitié d'une population de sauterelles. _____

b) Le taux de mercure est 12 fois plus élevé dans les graisses d'un béluga que dans les poissons dont cette baleine se nourrit. _____

c) Le cyanure est un poison violent qui tue presque instantanément. _____

d) À l'époque romaine, les cas d'intoxication au plomb (Pb) étaient nombreux. Ce métal, utilisé pour fabriquer les tuyaux d'alimentation d'eau, entraînait une maladie appelée « saturnisme » qui se développait après plusieurs années de consommation d'eau plombée. _____

e) Un herbicide ne commence à avoir des effets nuisibles sur les humains qu'à partir de 78 mg/kg. _____

f) La concentration en BPC (un contaminant cancérigène) est de 100 µg/kg dans le sol d'un dépotoir et elle est 10 fois plus élevée dans les vers de terre qui peuplent ce dépotoir. _____

UV 1.5

g) Certains polluants s'accumulent dans les tissus du cerveau humain. _____

Des problèmes à RÉSOUDRE

3. Étienne est expérimentateur. Il doit tester la toxicité d'un médicament qui pourrait guérir le cancer. Il teste ce médicament sur des rats de laboratoire et obtient les résultats ci-contre.

Selon ce tableau, quelle est la dose létale 50 ?

_____

Toxixité d'un contaminant

Concentration du contaminant (µg/kg)	Nombre de décès sur une population de 348 individus
10	0
20	0
30	6
40	87
50	178
60	267
70	312
80	348
90	348

CONCEPT 2.1

 Manuel, p. 390 à 392

Les gènes et les protéines STE

Des termes à CONNAÎTRE

1. Complétez les phrases à l'aide des termes suivants.

   • caractères   • gènes   • génome   • protéines   • chromosomes   • ADN

   a) Les _____ sont des fragments d'ADN qui contiennent l'information nécessaire pour fabriquer des protéines. Une molécule d'ADN en contient des milliers.

   b) Les _____ sont des molécules responsables de plusieurs fonctions essentielles à la vie des cellules. Ces molécules jouent un rôle important dans l'expression
   des caractères génétiques des individus.

   c) Les _____ sont des traits physiques, physiologiques ou comportemen-
   taux qui différencient les individus au sein d'une espèce.

   d) Le _____ est l'ensemble unique de gènes qui donne aux individus
   d'une espèce les caractères propres à celle-ci.

   e) Chez les organismes eucaryotes, comme les animaux et les végétaux, chaque cellule
   possède le génome complet sous forme de _____.

   f) Les gènes sont principalement constitués d'une molécule appelée « _____ ».

2. Indiquez si chacun des énoncés suivants est vrai ou faux. Rectifiez l'énoncé lorsqu'il est faux.

   a) L'ADN est constitué de quatre types de molécules qu'on appelle les acides aminés.

   ⬜ _____
      _____

   b) Un nucléotide d'ADN est composé d'un sucre (désoxyribose), d'un groupement phosphate et d'une base azotée.

   ⬜ _____
      _____

UV
2.1

c) Les protéines sont de grosses molécules constituées par l'assemblage de plus petites molécules qu'on appelle les nucléotides.

⬚ _____
_____

d) Il existe plusieurs milliers de protéines. Chacune d'entre elles peut être formée de plusieurs centaines d'acides aminés réunis en une chaîne qu'on appelle la chaîne polypeptidique.

⬚ _____
_____

3. Plusieurs types de molécules entrent en jeu dans les processus liés à la génétique. Indiquez à quel type de molécule correspond chacune des descriptions ci-dessous.

a) Une molécule en forme de double hélice. _____

b) Les quatre types de molécules qui constituent l'ADN. _____

c) Les molécules qui distinguent les quatre types de nucléotides. _____

d) Les molécules qui forment les protéines. _____

e) Un ensemble formé de plusieurs centaines d'acides aminés qu'on trouve dans une protéine. _____

UV 2.1

Des concepts à COMPRENDRE

4. Combien d'acides aminés entrent dans la composition des différentes protéines ?

_____

5. Complétez l'illustration ci-dessous.

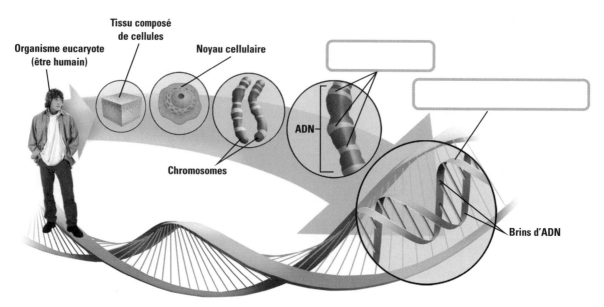

6. Dans le schéma ci-dessous, identifiez les groupements amine et carboxyle.

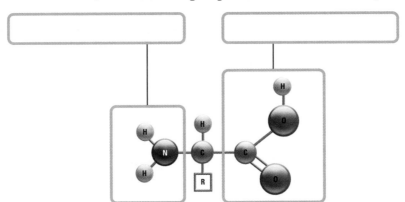

CONCEPT 2.2

Manuel, p. 393 à 395

La synthèse des protéines STE

Des termes à CONNAÎTRE

1. Complétez les phrases à l'aide des termes suivants.

- l'ARNm
- la traduction
- les agents mutagènes

- l'ARNt
- la transcription
- les mutations

- la synthèse des protéines
- le code génétique
- un codon

UV
2.1

a) _____ est le processus de fabrication des protéines à partir de l'information portée par les gènes.

b) _____ est la molécule qui transcrit l'information contenue dans les gènes sous forme d'ADN. Cette molécule transporte l'information à l'extérieur du noyau cellulaire.

c) _____ est un triplet de nucléotides de l'ARN messager qui permet l'ajout d'un acide aminé au moment de la synthèse des protéines.

d) L'ensemble des codons forme _____.

e) _____ est la synthèse d'une molécule d'ARNm à partir de la séquence d'ADN d'un gène.

f) _____ est la fabrication d'une protéine à partir de la séquence de nucléotides d'une molécule d'ARNm.

g) La traduction se réalise grâce à un type d'ARN appelé _____.

h) _____ sont des modifications de la séquence d'ADN des gènes.

i) _____ provoquent des mutations dans la séquence de l'ADN.

Des concepts à COMPRENDRE

2. Placez les énoncés suivants dans le bon ordre afin de décrire le processus de la synthèse des protéines.

1. Dans le noyau de la cellule, les chromosomes portent des gènes qui contiennent l'information nécessaire à la synthèse des protéines sous forme d'ADN.

2. Les acides aminés s'accrochent les uns aux autres pour former un polypeptide. L'association de plusieurs polypeptides formera une protéine.

3. Chaque molécule d'ARNt liée à son acide aminé vient se placer à un endroit spécifique sur l'ARNm.

4. L'ADN se sépare en deux brins et est transcrit en une autre molécule qui joue le rôle de messager : l'ARNm.

5. Sur les ribosomes, une autre forme d'ARN est produite : l'ARNt. Chaque molécule d'ARNt est dotée d'une extrémité qui reconnaît un acide aminé spécifique et d'une autre extrémité qui reconnaît sa place sur l'ARNm du ribosome.

6. Un acide aminé spécifique vient se fixer sur chaque molécule d'ARNt.

7. L'ARNm sort du noyau de la cellule et rejoint les ribosomes du cytoplasme.

UV 2.2

3. Nommez les quatre bases azotées qui forment le segment d'ARNm illustré ci-dessous.

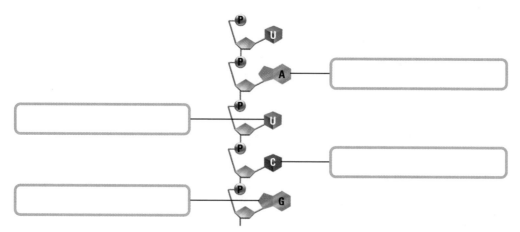

Des problèmes à RÉSOUDRE

4. Le tableau ci-dessous présente les segments d'ARNm et les triplets de segment qui codent pour un acide aminé spécifique.

Le code génétique

	U		C		A		G		
U	UUU	Phénylalanine	UCU	Sérine	UAU	Tyrosine	UGU	Cystéine	U
	UUC		UCC		UAC		UGC		C
	UUA	Leucine	UCA		UAA	Codons de fin de traduction	UGA	Codon de fin de traduction	A
	UUG		UCG		UAG		UGG	Tryptophane	G
C	CUU	Leucine	CCU	Proline	CAU	Histidine	CGU	Arginine	U
	CUC		CCC		CAC		CGC		C
	CUA		CCA		CAA	Glutamine	CGA		A
	CUG		CCG		CAG		CGG		G
A	AUU	Isoleucine	ACU	Thréonine	AAU	Asparagine	AGU	Sérine	U
	AUC		ACC		AAC		AGC		C
	AUA		ACA		AAA	Lysine	AGA	Arginine	A
	AUG	Méthionine/ Codon d'initiation	ACG		AAG		AGG		G
G	GUU	Valine	GCU	Alanine	GAU	Acide aspartique	GGU	Glycine	U
	GUC		GCC		GAC		GGC		C
	GUA		GCA		GAA	Acide glutamique	GGA		A
	GUG		GCG		GAG		GGG		G

À l'aide de ce tableau, identifiez la suite d'acides aminés qui compose le segment d'ARNm ci-dessous.

... UUU CCC CCA CAA AAA GAA ACA UUC UCU GUG ...

_____

_____

_____

_____

UV 2.2

CONCEPT 2.3

 Manuel, p. 396 et 397

L'hérédité STE

Des termes à CONNAÎTRE

1. Complétez les phrases à l'aide des termes suivants.

- allèles
- génotype
- homozygote

- chromosomes homologues
- hérédité
- phénotype

- dominant
- hétérozygote
- récessif

a) L'_____ est la transmission des caractères d'une génération à la suivante.

b) Les _____ sont les variantes d'un même gène.

c) Les _____ possèdent les mêmes gènes, mais pas nécessairement les mêmes allèles.

d) Un individu est dit _____ si ses chromosomes homologues portent deux allèles identiques.

e) Un individu est dit _____ si ses chromosomes homologues portent deux allèles différents.

f) Lorsque les allèles d'une paire de chromosomes homologues sont différents, l'allèle _____ détermine le caractère.

g) Lorsque les allèles d'une paire de chromosomes homologues sont différents, l'allèle _____ ne se manifeste pas.

h) La paire d'allèles que porte un individu pour un gène donné forme son _____.

i) L'expression des allèles à travers un caractère physique ou physiologique porte le nom de _____.

UV 2.3

Des concepts à COMPRENDRE

2. Répondez aux questions suivantes.

   a) On fait souvent remarquer à Éric qu'il a le même nez que son père
   et que son grand-père paternel. Comment nomme-t-on la science
   qui étudie la transmission de ce type de caractère ?   _____

   b) Éric a les yeux bruns. Les yeux de son père sont bleus et ceux
   de sa mère sont bruns. Les chromosomes d'Éric possèdent
   une variante bleue et une variante brune. Comment
   nomme-t-on ces deux variantes ?   _____

   c) Éric est-il homozygote ou hétérozygote pour les gènes
   de la couleur de ses yeux ?   _____

   d) Le père d'Éric possède deux allèles bleus sur ses chromosomes
   homologues. Le père d'Éric est-il homozygote ou hétérozygote
   pour les gènes de la couleur de ses yeux ?   _____

   e) Quel est l'allèle dominant chez Éric pour la couleur des yeux ?   _____

   f) Éric possède deux allèles différents, B (brun) et b (bleu). Cette information fait-elle référence à son phénotype ou à son génotype ?   _____

   g) Éric a les yeux bruns, comme sa mère, malgré ses allèles
   différents. Cette information fait-elle référence à son
   phénotype ou à son génotype ?   _____

UV
2.3

Des problèmes à RÉSOUDRE

3. Les schémas ci-dessous illustrent l'emplacement du gène responsable de la couleur de
   l'iris des yeux pour trois individus. L'allèle bleu est récessif. Complétez le tableau à l'aide
   de ce schéma.

B : Allèle de la couleur brune
b : Allèle de la couleur bleue

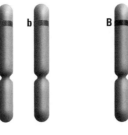

Individu A   Individu B   Individu C

Type	Individu		
	A	B	C
Génotype		Homozygote	
		bb	
Phénotype	Yeux bruns		

CONCEPT 2.4

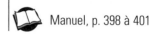

Manuel, p. 398 à 401

Les croisements STE

Des termes à CONNAÎTRE

1. Complétez les phrases à l'aide des termes suivants.

- La loi d'assortiment indépendant
- La loi de la ségrégation indépendante
- Les échiquiers de croisements
- Les individus hétérozygotes
- Une lignée pure
- Un croisement

a) _____ est le résultat de l'échange de gamètes entre deux individus pendant la reproduction sexuée.

b) _____ des allèles stipule que les allèles d'une paire de chromosomes homologues se répartissent en proportion égale (50/50) au moment de la méiose.

c) _____ des allèles explique la répartition indépendante de différents allèles qui déterminent un phénotype.

d) _____ est formée d'individus homozygotes dominants ou récessifs.

e) _____ ou hybrides ont des allèles dominants et récessifs qui se distribuent en proportion égale à travers les gamètes produits.

f) _____ permettent de présenter les croisements de Mendel et de mieux comprendre la ségrégation indépendante des allèles.

Des concepts à COMPRENDRE

2. Indiquez si chacun des énoncés suivants est vrai ou faux. Rectifiez l'énoncé lorsqu'il est faux.

a) Les gamètes sont des cellules haploïdes, c'est-à-dire qu'ils contiennent deux exemplaires de chromosomes homologues.

b) Un allèle dominant empêche l'expression du phénotype de l'allèle récessif.

c) Une plante ou un animal homozygote pour un caractère dominant produit toujours des descendants qui expriment ce caractère dominant à la première génération.

_____

_____

d) Si on croise deux plantes ou deux animaux de lignée pure, les descendants seront toujours de lignée pure.

_____

_____

Des problèmes à RÉSOUDRE

3. On croise un rat au pelage noir homozygote (NN) avec une rate au pelage blanc homozygote (bb).

   Si l'allèle noir est dominant et le blanc récessif, quels seront le phénotype et le génotype de leurs descendants ? Résolvez ce problème en complétant l'échiquier de Punnet ci-contre.

   Phénotype : _____

   _____

   Génotype : _____

   _____

4. On croise deux des rats issus des parents de la question 3.

   a) Quels seront le phénotype et le génotype de leurs descendants ? Résolvez ce problème en complétant l'échiquier de Punnet ci-contre.

   Phénotype : _____

   _____

   Génotype : _____

   _____

   b) Est-il possible d'obtenir des rats homozygotes à partir de deux rats hétérozygotes ? Justifiez votre réponse.

   _____

   _____

5. On croise un rat au pelage noir hétérozygote avec une rate au pelage blanc homozygote. Quels seront le phénotype et le génotype de leurs descendants ? Résolvez ce problème en complétant l'échiquier de Punnet ci-contre.

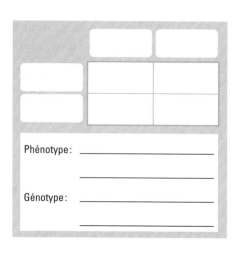

Phénotype: _____

_____

Génotype: _____

_____

6. On croise un rat de lignée pure à poils longs noirs avec une rate de lignée pure à poils courts blancs. Les caractères « à poils longs » et « noirs » sont dominants. Dans la première génération, tous les rats seront des hybrides NbLc. On croise deux des rats hybrides issus de la première génération.

a) Quel type de gamètes donneront ces individus hybrides ?

_____

_____

b) Quel est le phénotype de la génération qui est issue des deux hybrides ? Résolvez ce problème en complétant l'échiquier de Punnet ci-dessous.

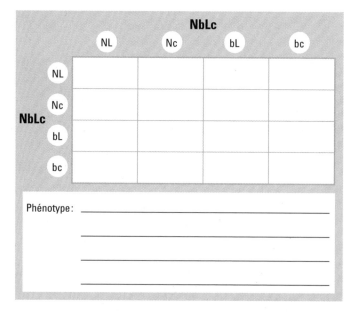

c) Dans cette deuxième génération, y a-t-il de nouvelles variétés de rats ? Si oui, lesquelles ?

_____

_____

UNIVERS TECHNOLOGIQUE

CONCEPT 1.2

 Manuel, p. 418 et 419

La projection orthogonale à vues multiples STE

Des termes à CONNAÎTRE

1. Complétez les phrases à l'aide des termes suivants.

   • cube de référence • dessin de détail • dessin d'ensemble • projection orthogonale

   a) On appelle « _____ à vues multiples » une représentation en deux dimensions d'un objet obtenue au moyen de plusieurs vues.

   b) On appelle « _____ » le cube imaginaire transparent qui permet de visualiser la projection de chacune des faces d'un objet.

   c) Le _____ est un dessin technique qui présente les trois vues conventionnelles d'un objet, soit les vues de face, de dessus et de droite.

   d) Le _____ est un dessin technique qui précise tous les détails utiles à la fabrication d'une pièce.

Des concepts à COMPRENDRE

UT
1.2

2. L'illustration de gauche présente le cube de référence d'une locomotive jouet. Trois faces y sont identifiées par les lettres A, B et C. À quelle vue de la représentation standard du développement d'un cube de référence (illustration de droite) correspond chacune de ces trois faces?

Le cube de référence

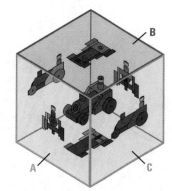

La représentation standard du développement d'un cube de référence

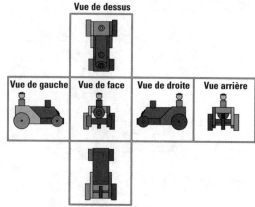

   a) La face A correspond à la vue _____.

   b) La face B correspond à la vue _____.

   c) La face C correspond à la vue _____.

3. Combien de vues d'un objet présente le cube de référence ? _____

4. Combien de vues d'un objet présente le dessin d'ensemble ? _____

5. Complétez la projection orthogonale de l'appui-livres illustré ci-dessous.

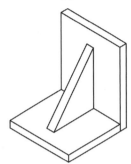

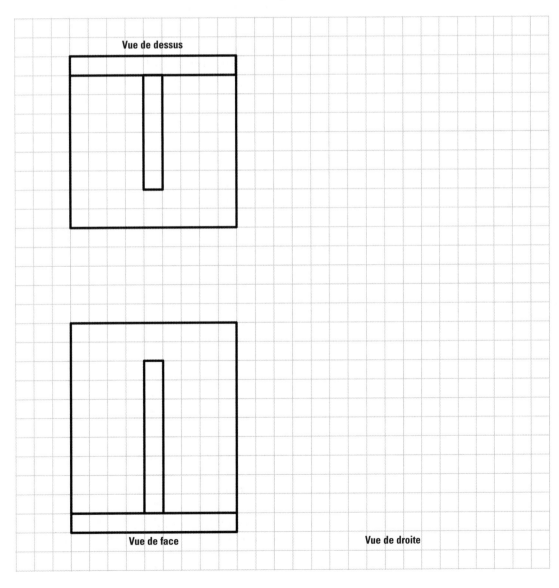

Vue de dessus

Vue de face

Vue de droite

UT
1.2

CONCEPT 1.3

 Manuel, p. 420

La projection axonométrique : la vue éclatée STE

Des termes à CONNAÎTRE

1. Complétez les phrases à l'aide des termes suivants.

- La projection axonométrique
- La vue éclatée
- Le dessin d'ensemble éclaté

a) _____ permet de réaliser des dessins techniques qui donnent une perspective tridimensionnelle d'un objet.

b) _____ est une représentation en perspective d'un objet qui montre, en les dissociant les unes des autres, les différentes pièces qui composent l'objet.

c) _____ montre l'apparence tridimensionnelle d'un objet ainsi que l'agencement des pièces qui le composent.

Des concepts à COMPRENDRE

UT
1.3

2. Voici trois dessins techniques d'une même table.

1

2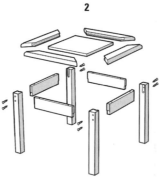

3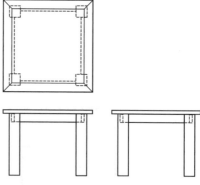

a) Lequel de ces dessins est un dessin d'ensemble éclaté ? ☐

b) Lequel de ces dessins est une projection orthogonale à vues multiples ? ☐

c) Lequel de ces dessins est une projection axonométrique ? ☐

d) Lequel de ces dessins peut être utilisé pour assembler la table ? ☐

3. Quelles personnes sont susceptibles d'utiliser le dessin d'ensemble éclaté ? Entourez les bonnes réponses.

   a) Les artistes.

   b) Les personnes qui doivent assembler un objet.

   c) Les personnes qui veulent comprendre la façon dont un objet est fabriqué.

   d) Les personnes qui doivent fabriquer un objet.

CONCEPT 1.4

Manuel, p. 421

Les tolérances dimensionnelles STE

Des termes à CONNAÎTRE

1. Complétez la phrase suivante.

   La tolérance dimensionnelle désigne l'écart total admissible entre la dimension réelle d'une

   pièce et la dimension correspondante qui apparaît sur le _____.

Des concepts à COMPRENDRE

UT
1.3

2. Vrai ou faux ?

	Vrai	Faux
a) Les cotations d'un dessin technique indiquent les dimensions *exactes* que doit avoir la pièce à fabriquer.	☐	☐
b) La tolérance dimensionnelle fixe les limites des dimensions maximales et minimales qui sont acceptables au moment de la fabrication d'un objet.	☐	☐
c) Plus les tolérances dimensionnelles sont faibles, plus les coûts de fabrication d'un objet sont bas.	☐	☐
d) La fabrication de jouets exige les mêmes tolérances dimensionnelles que celles utilisées dans l'industrie aéronautique.	☐	☐
e) Une tolérance de ± 0,5 mm sur une pièce usinée de 11 mm indique que la longueur maximale acceptable pour cette pièce est de 11,5 mm.	☐	☐
f) Une tolérance de ± 0,1 mm sur une pièce usinée de 11 mm indique que la longueur acceptable pour cette pièce se situe entre 10,9 mm et 11,1 mm.	☐	☐

3. Dans le dessin technique du bloc métallique ci-dessous, on a coté les tolérances dimensionnelles. Les mesures sont exprimées en centimètres.

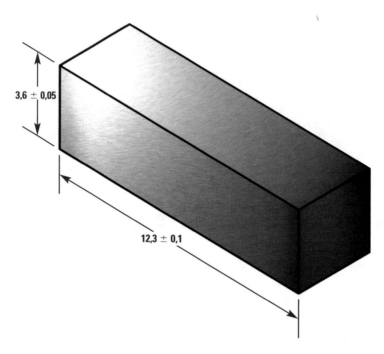

3,6 ± 0,05

12,3 ± 0,1

a) Quelle est la longueur maximale acceptée pour l'usinage de ce bloc?

_____

b) Quelle est la hauteur minimale acceptée pour l'usinage de ce bloc?

_____

4. Vous devez usiner un cylindre de 230 mm de longueur et de 12,5 mm de diamètre. La tolérance dimensionnelle de cette pièce est de 0,6 mm. Inscrivez les cotes appropriées dans le dessin ci-dessous.

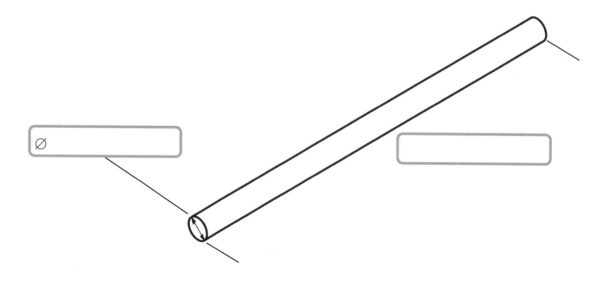

⌀

 **CONCEPT 2.1**

 Manuel, p. 428 et 429

Les caractéristiques des liaisons mécaniques

Des termes à CONNAÎTRE

1. Complétez les phrases suivantes.

   ☑ *a)* La _fonction liaison_ en mécanique est la fonction qui permet de relier deux ou plusieurs pièces.

   ☑ *b)* Plusieurs liaisons nécessitent l'utilisation d'un _organe de liaison_ , également appelé « organe intermédiaire », comme des vis, des écrous, des rivets ou des substances adhésives, pour lier deux pièces entre elles.

Des concepts à COMPRENDRE

2. Une liaison mécanique peut être :
   - directe ou indirecte,
   - démontable ou indémontable,
   - rigide ou élastique,
   - complète ou partielle.

   Quelles caractéristiques qualifient les liaisons mécaniques suivantes ?

   a) La tête d'un marteau et son manche. _avec colle_
   indirecte, indémontable, rigide, complète

   b) La fourche avant d'un vélo et le moyeu de la roue liés par un écrou.
   indirecte, démontable, rigide, partielle

   c) Les pièces d'un vêtement liées par une fermeture éclair.
   indirecte, démontable, élastique, complète
   rigide   partielle

   d) La selle d'un vélo et le poteau de la selle liés par une tige munie d'un amortisseur et de ressorts.
   indirecte/indémontable , élastique, partielle

   e) Des pentures métalliques vissées dans le bois d'un coffret à bijoux.
   indirecte, démontable, rigide, complète

   f) Les briques d'un mur liées par du mortier.
   indirecte, indémontable, rigide, complète

UT 2.1

3. Répondez aux questions suivantes.

a) Les pièces d'un jeu de construction qui s'emboîtent directement les unes dans les autres sont-elles maintenues ensemble par des liaisons directes ou indirectes ?

directes ✓

b) La liaison, par un amortisseur, entre le châssis d'une automobile et l'une de ses roues est-elle une liaison rigide ou élastique ?

élastique ✓

c) Les deux branches d'un ciseau sont-elles reliées par une liaison directe ou indirecte ?

indirecte ✓

4. Complétez le tableau ci-dessous.

	Caractéristiques de la liaison			
	Directe ou indirecte	Démontable ou indémontable	Rigide ou élastique	Complète ou partielle
	indirecte	*indémontable*	*rigide*	*partielle*
	directe	*démontable*	*rigide*	*complète*
	indirecte	*indémontable*	*rigide*	*complète*
	indirecte	*indémontable*	*élastique*	*partielle*

CONCEPT 2.2

 Manuel, p. 430 et 431

Les degrés de liberté STE

Des termes à CONNAÎTRE

1. Comment nomme-t-on l'ensemble des six mouvements possibles entre les pièces d'un objet technique ?

les degrés de liberté

UT
2.1

Des concepts à COMPRENDRE

2. Quel type de liaison ne permet aucun degré de liberté?

_____ complète _____

3. Quel type de liaison permet un ou plusieurs degrés de liberté?

_____ partielle _____

4. Répondez aux questions qui se rapportent à la photographie ci-dessous.

   a) Combien de degrés de liberté possède la boule de la souris?

   _____ 3 rotations x, y, z _____

   b) Les divers degrés de liberté de la boule sont-ils des mouvements de rotation ou de translation?

   _____ rotation _____

5. Dans le tableau ci-dessous:

   a) inscrivez le nombre de degrés de liberté de chacun des objets;

   b) indiquez s'il s'agit de mouvements de translation ou de rotation.

Objet	Nombre de degrés de liberté	Type de mouvement	Objet	Nombre de degrés de liberté	Type de mouvement
	1	rotation		1	rotation
Arbre — Moyeu —	1	rotation ~~translation~~		1	rotation
	~~1 + 1~~ 2	translation rotation	joint universel 3		rotation
		rotations		1	translation

UT 2.2

6. Dans le tableau ci-dessous :

   a) inscrivez le nombre de degrés de liberté de chacun des objets ;

   b) indiquez s'il s'agit de mouvements de translation ou de rotation.

Objet	Nombre de degrés de liberté	Type de mouvement
Le bouton d'un poste de radio qu'on tourne pour augmenter ou diminuer le volume.	1	rotation
Une porte-fenêtre qui glisse sur ses rails.	1	translation
Une vis qui s'enfonce dans une pièce de bois.	1	rotation
Un CD qui joue dans un lecteur.	1	rotation
L'articulation du poignet qui permet de bouger la main.	3	rotation

CONCEPT 2.3

Manuel, p. 432 et 433

La fonction de guidage

Des termes à CONNAÎTRE

1. Complétez les phrases à l'aide des termes suivants.

   • arbre   • moyeu   • organe de guidage   • rail   • rotation   • translation

   UT 2.2

   a) La fonction de guidage est assurée par un _organe de guidage_ (ou plusieurs) qui oblige une pièce à n'effectuer qu'un type de mouvement.

   b) Le guidage en rotation est toujours composé d'un ___arbre___ qui est inséré dans un ___moyeu___.

   c) Le guidage en translation se fait par contact entre une pièce mobile et une autre pièce qui sert de ___rail___ à la pièce mobile.

   d) Le guidage hélicoïdal assure une combinaison de deux mouvements, la ___rotation___ et la ___translation___.

Des concepts à COMPRENDRE

2. Donnez trois exemples de guidage en rotation.

   volant d'une voiture
   bouton pour volume
   _____

3. Donnez trois exemples de guidage en translation.

   miroir _____

   _____

   _____

4. Donnez trois exemples de guidage hélicoïdal.

   vis _____

   robinet _____

   _____

5. Vrai ou faux ?

	Vrai	Faux
a) Dans tout système de guidage, il doit y avoir un certain jeu entre les pièces.	☑	☐
b) Un mouvement hélicoïdal est toujours guidé à l'aide d'un arbre et d'un moyeu.	☐	☑
c) L'arbre est le cylindre qui est inséré dans le moyeu.	☐	☑
d) Le guidage en rotation nécessite l'utilisation de rails.	☑	☐

CONCEPT 2.4

Manuel, p. 434 à 437

UT 2.3

Les systèmes de transmission du mouvement

Des termes à CONNAÎTRE

1. Complétez les phrases à l'aide des termes suivants.

   - courroie et de poulies
   - engrenage
   - roue dentée et de vis sans fin
   - organe moteur
   - chaîne et de roues dentées
   - système de transmission
   - roues de friction
   - organe récepteur
   - organe intermédiaire

   a) Un *système de transmission* du mouvement permet de transmettre un même type de mouvement d'une pièce mécanique à une autre.

   b) Les systèmes de transmission du mouvement sont composés d'un *organe moteur* qui met le système en mouvement et d'un *organe récepteur* qui reçoit le mouvement.

   c) Certains systèmes comportent un *organe intermédiaire* (comme une chaîne ou une courroie) qui conduit le mouvement de l'organe moteur à l'organe récepteur.

d) Un système de <u>roues de friction</u> est composé de deux roues dont l'une est entraînée dans un mouvement de rotation au contact de l'autre.

e) Le système de <u>courroie et de poulies</u> comporte au moins deux poulies et une courroie.

f) L' <u>engrenage</u> est un système composé de roues dentées qui s'appuient les unes sur les autres, ce qui permet la transmission d'un mouvement de rotation.

g) Le système de <u>chaîne et roues dentées</u> permet de transmettre un mouvement de rotation entre deux roues dentées ou plus par l'intermédiaire d'une chaîne.

h) Le système de <u>roue dentée et vis sans fin</u> est composé d'une roue dentée (à denture droite ou hélicoïdale) et d'une vis qui comporte un filetage hélicoïdal.

Des concepts à COMPRENDRE

2. Vrai ou faux ?

	Vrai	Faux
a) Les systèmes de transmission transmettent un mouvement d'une pièce à une autre sans changer la nature du mouvement.	☑	☐
b) L'organe moteur dans un système de transmission du mouvement est l'organe qui reçoit le mouvement.	☐	☑
c) Une chaîne et une courroie sont des organes intermédiaires dans un système de transmission du mouvement.	☑	☐
d) La transmission du mouvement dans un système de courroie et de poulies repose sur le même principe que le système de roues de friction.	☑	☐

UT 2.4

3. Indiquez à quel système de transmission du mouvement correspond chacun des symboles normalisés ci-dessous.

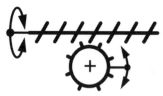

a) <u>roue dentée et vis sans fin</u>

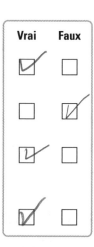

c) <u>l'engr</u>

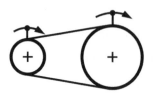

b) <u>courroie et poulies</u>

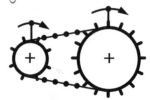

d) <u>chaîne et roue dentée</u>

Des problèmes à RÉSOUDRE

4. Dans chacune des illustrations ci-dessous, tracez une flèche qui indique le sens de rotation de la petite roue.

a)   b)   c)

5. Dans chacune des illustrations ci-dessous, tracez une flèche qui indique le sens de rotation de la grande poulie.

a)   b)

6. Dans chacune des illustrations ci-dessous, tracez une flèche qui indique le sens de rotation de la seconde roue.

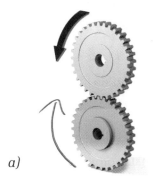

a)   c)

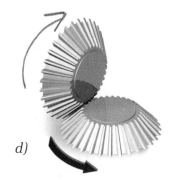

b)   d)

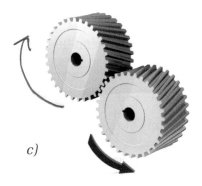

UT 2.4

CONCEPT 2.5

 Manuel, p. 438 à 440

Les systèmes de transformation du mouvement

Des termes à CONNAÎTRE

1. Complétez les phrases à l'aide des termes suivants.

- axe de rotation
- ~~pignon~~
- ~~système de transformation~~
- came
- ~~organe moteur~~
- tige guidée
- ~~crémaillère~~
- organe récepteur
- ~~translation~~
- excentrique
- ~~rotation~~

a) Un _système de transformation_ du mouvement est un système qui convertit un mouvement de rotation en un mouvement de translation ou vice versa.

b) Les systèmes de transformation du mouvement sont composés d'un _organe moteur_ qui met le système en mouvement et d'un _organe récepteur_ qui reçoit le mouvement.

c) Le système à vis et écrou permet de transformer un mouvement de rotation en un mouvement de _translation_.

d) Le système à bielle et manivelle transforme un mouvement de translation en un mouvement de _rotation_ ou vice versa.

e) Le système à pignon et crémaillère transforme le mouvement de rotation du _pignon_ en un mouvement de translation de la _crémaillère_ ou vice versa.

f) Le système à came et tige guidée transforme le mouvement de rotation de la _came_ en un mouvement de translation de la _tige guidée_.

g) **STE** Ce qui distingue l'_excentrique_ d'une came est sa forme ronde et son _axe de rotation_ décentré par rapport à sa circonférence.

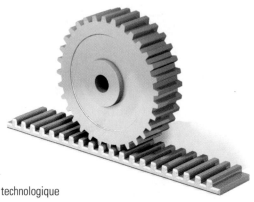

Des concepts à COMPRENDRE

2. Quels mécanismes de transformation du mouvement sont illustrés ci-dessous?

a) _Vis et écrou_

c) _came et tige guidée_

 **STE** _l'excentrique_

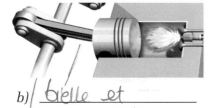

b) _bielle et manivelle_

d) _pignon et crémaillère_

3. Indiquez à quel système de transformation du mouvement correspond chacun des symboles normalisés ci-dessous.

a) _came et tige guidée_

b) _pignon et crémaillère_

UT
2.5

CONCEPT 2.6

Manuel, p. 441 et 442

L'adhérence et le frottement **STE**

Des termes à CONNAÎTRE

1. Complétez les phrases suivantes.

a) L'_adhérence_ et le _frottement_ dépendent des forces appliquées entre les surfaces de deux pièces mécaniques.

b) L'emploi d'un _lubrifiant_ entre deux surfaces réduit le frottement.

c) Pour réduire les frottements, on peut également utiliser des _roulements_ .

Des concepts à COMPRENDRE

2. Nommez trois situations dans lesquelles l'adhérence et le frottement sont nécessaires.

   entre les roues d'une auto et le ciment (la rue) / semelle d'une botte d'hivers sur la glace / une échelle inclinée sur un mur

3. Nommez trois situations dans lesquelles l'adhérence et le frottement sont nuisibles.

   les pistons dans un moteur d'une auto / des skis / un avion, un bateau.

4. Quel type de force est utilisé pour assurer l'adhérence et la friction nécessaires dans chacun des systèmes de transmission du mouvement illustrés ci-dessous?

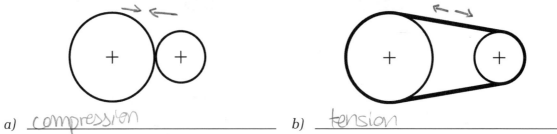

   a) _compression_   b) _tension_

5. Nommez deux solutions couramment utilisées pour réduire les frottements ou faciliter les mouvements entre deux pièces en contact.

   un lubrifiant / des roulements

UT
2.6

6. Pourquoi les mécaniciens recommandent-ils de vérifier régulièrement le niveau d'huile dans le moteur d'une automobile?

   L'huile disparaît progressivement en raison du frottement, donc il faut en ajouter régulièrement.

Des problèmes à RÉSOUDRE

7. Pierre-Olivier décide de construire une voiturette afin de participer à une course de « boîtes à savon ». Les roues qu'il choisira auront une grande importance sur la performance de son véhicule. Quel élément technologique devront comporter ces roues si Pierre-Olivier désire minimiser le frottement et ainsi augmenter la vitesse de son bolide?

   des roulements

 **CONCEPT 2.7**

 Manuel, p. 443 à 446

Les changements de vitesse et les couples

Des termes à CONNAÎTRE

1. Complétez les phrases à l'aide des termes suivants.

   - organe moteur
   - organe récepteur
   - rapport de diamètre
   - rapport d'engrenage
   - roues de friction
   - roue menante
   - roue menée
   - vis sans fin

   a) Le changement de vitesse est le rapport entre la vitesse de rotation de
   l'_organe moteur_ et la vitesse de rotation de
   l'_organe récepteur_.

   b) On appelle « _roue menante_ » la roue reliée à l'organe moteur.

   c) On appelle « _roue menée_ » la roue reliée à l'organe récepteur.

   d) Les changements de vitesse dans des systèmes qui comprennent des engrenages sont
   établis à partir du _rapport d'engrenage_.

   e) Pour les systèmes de _roue de friction_ ou de courroie et de poulies, on
   établit les changements de vitesse à partir du _rapport de diamètre_ de la
   roue menante à celui de la roue menée.

   f) Avec une roue dentée et une _vis sans fin_, le rapport d'engrenage
   équivaut à 1 divisé par le nombre de dents de la roue menée (roue dentée).

UT
2.7

Des concepts à COMPRENDRE

2. Complétez la formule qui exprime le rapport d'engrenage dans un système d'engrenage.

   Rapport d'engrenage = $\dfrac{\text{nombre de dents de la roue menante}}{\text{nombre de dents de la roue menée}}$

3. Complétez la formule qui exprime la vitesse de la roue menée dans un système d'engrenage.

   Vitesse de la roue menée = $\boxed{\text{rapport d'engrenage}} \times \boxed{\text{vitesse de la roue menante}}$

4. Complétez la formule qui exprime le rapport de diamètre dans les systèmes de roues de friction ou de courroie et de poulies.

Rapport de diamètre =  $\dfrac{\text{diamètre de la roue menante}}{\text{diamètre de la roue menée}}$

5. Complétez la formule qui exprime la vitesse de la roue menée dans un système de roues de friction ou de courroie et de poulies.

Vitesse de la roue menée = $\boxed{\text{rapport de diamètre}}$ × 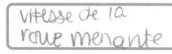 $\boxed{\text{vitesse de la roue menante}}$

6. Les énoncés ci-dessous concernent le changement de vitesse dans les systèmes de roue dentée et de vis sans fin. Indiquez si chacun de ces énoncés est vrai ou faux. Rectifiez l'énoncé lorsqu'il est faux.

a) Le nombre de dents de la vis sans fin n'a aucune influence sur la vitesse de la roue menée.

$\boxed{V}$ _____

b) Le nombre de dents de la roue menée n'a aucune influence sur le rapport d'engrenage.

$\boxed{F}$ $\dfrac{\text{Rapport}}{\text{d'engrenage}} = \dfrac{1}{\text{nombre de dents de la roue menée (dentée}}$

→ R‹1 → réducteur de vitesse.

c) La vitesse de la roue menée est proportionnelle à la vitesse de la vis sans fin.

$\boxed{V}$ _____

UT
2.7

Des problèmes à RÉSOUDRE

7. Complétez le tableau suivant.

Caractéristiques de cinq engrenages				
Nombre de dents		Rapport d'engrenage	Vitesse (tour/min)	
Roue menante	Roue menée		Roue menante	Roue menée
100	10	$\frac{100}{10} = 10$	50	500
10	100	$\frac{10}{100} = 1/10$	50	5
200	40	5	$\frac{5000}{5} = 1000$	5 000
12	60	$12/60 = 1/5$	18	$18/5 = 3,6$
80	16	$80/16 = 5$	$\frac{210}{5} = 42$	210

1 tour de la vis sans fin ⟶ 1 dent de la roue denté.

n ⟶ n·dent

CONCEPT 3.1

Manuel, p. 453 et 454

La fonction d'alimentation

Des termes à CONNAÎTRE

1. Comment nomme-t-on la fonction assurée par la source d'alimentation qui fournit l'énergie nécessaire au passage d'un courant électrique dans un circuit ?

   _____

2. Complétez la phrase.

   Il existe deux types de sources d'alimentation :

   a) l'une fournit un courant _____ dans lequel le flux d'électrons se déplace toujours dans le même sens ;

   b) l'autre produit un courant _____ dans lequel le sens du courant s'inverse de façon cyclique.

Des concepts à COMPRENDRE

3. Classez les sources de courant dans le tableau ci-dessous selon qu'elles produisent un courant continu ou un courant alternatif.

   - la batterie d'une voiture
   - la pile d'un appareil photo
   - l'alternateur d'une éolienne
   - une dynamo qui alimente une lampe de poche
   - la prise électrique d'un mur
   - une génératrice utilisée pendant une panne de courant

Source de courant continu	Source de courant alternatif

UT
3.1

4. Associez chaque source de courant à son symbole normalisé.

5. Indiquez si chacun des objets ci-dessous fonctionne avec une source de courant continu ou alternatif.

a) _____

c) _____

e) _____

b) _____

d) _____

f) _____

6. Nommez deux objets qui fonctionnent à l'aide de chacune des sources de courant ci-dessous.

a)  _____

_____

b) _____

_____

c) _____

_____

d) _____

_____

Des problèmes à RÉSOUDRE

7. On utilise la radio ci-dessous dans les endroits où il n'y a pas de sources d'alimentation électrique. Observez-la attentivement et lisez les précisions qu'on donne à son sujet.

1re précision : Si on tourne la manivelle pendant 5 minutes, la radio fonctionnera une demi-heure.

2e précision : Si on expose la radio au soleil durant 10 minutes, elle emmagasinera suffisamment de courant pour fonctionner une demi-heure.

3e précision : La radio peut fonctionner dans l'obscurité sans qu'il soit nécessaire de tourner la manivelle.

a) Cette radio possède-t-elle une dynamo ? Justifiez votre réponse.

_____

b) Cette radio possède-t-elle une pile ? Justifiez votre réponse.

_____

_____

_____

_____

CONCEPT 3.2

 Manuel, p. 455 à 458

UT 3.1

Les fonctions de conduction, d'isolation et de protection

Des termes à CONNAÎTRE

1. Associez chaque terme de la liste suivante à sa définition.

- circuit imprimé
- disjoncteur
- isolant
- résisteur
- conducteur
- disjoncteur de fuite à la terre
- isolation
- surcharge
- conduction
- élément chauffant
- protection
- court-circuit
- fusible
- résistance

a) Dispositif fait d'un fil ou d'une lamelle de plomb qui se rompt si l'intensité de courant devient trop grande en raison d'un court-circuit ou d'une surcharge, empêchant ainsi le courant de circuler.

_____

b) Fonction assurée par un conducteur qui permet au courant de passer dans l'ensemble d'un circuit électrique.

_____

c) Dispositif de protection électrique utilisé dans les lieux humides comme les salles de bain ou à l'extérieur.

_____

d) Composante qui bloque le passage du courant afin d'éviter que celui-ci ne s'échappe à l'extérieur du circuit électrique. _____

e) Fonction qui empêche les fuites de courant à l'extérieur du circuit électrique. _____

f) Dispositif qui ouvre automatiquement un circuit, empêchant le courant de circuler en cas de surcharge ou de court-circuit. _____

g) Fonction assurée par un dispositif qui coupe le passage du courant si le circuit électrique ne fonctionne pas normalement. _____

h) Phénomène qui se produit au moment où l'intensité du courant électrique dépasse le maximum que peut supporter une partie du circuit. _____

i) Composante qui assure le passage du courant électrique. _____

j) Phénomène qui se produit au moment où le courant électrique emprunte un chemin imprévu à la suite d'un contact avec un autre conducteur ou avec une matière conductrice comme l'eau. _____

k) **STE** Composante qui résiste au passage du courant électrique et qui produit ainsi beaucoup de chaleur. _____

l) **STE** Propriété physique des composantes qui limite le passage du courant dans un circuit électrique. _____

m) **STE** Support électronique qui prend la forme d'une carte faite de plastique rigide ou semi-rigide, sur lequel sont gravés des circuits électriques. _____

n) **STE** Composante d'un circuit imprimé qui remplit la fonction de résistance. _____

Des concepts à COMPRENDRE

2. Associez chacune des photographies ci-dessous à la composante électrique qui y correspond.

- circuit imprimé
- élément chauffant
- conducteur
- fusible
- disjoncteur
- isolant
- disjoncteur de fuite à la terre
- résistance

a) _____   b) _____   c) _____

_____   _____   _____

d) _____   *e)* _____   *f)* _____

_____   _____   _____

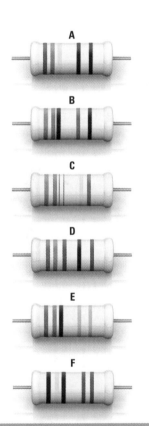

g) **STE** _____   *h)* **STE** _____

_____   _____

3.   **STE** À l'aide du code de couleur ci-dessous, complétez le tableau.

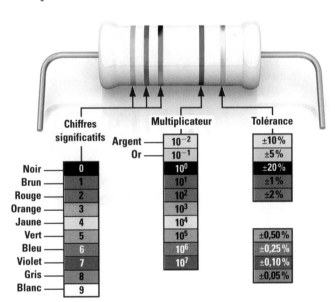

UT
3.2

Résistance	Valeur (Ω)	Tolérance (%)
A		
B		
C		
D		
E		
F		

Chapitre 4 Univers technologique   **245**

4. Identifiez les principales composantes du circuit électrique ci-dessous.

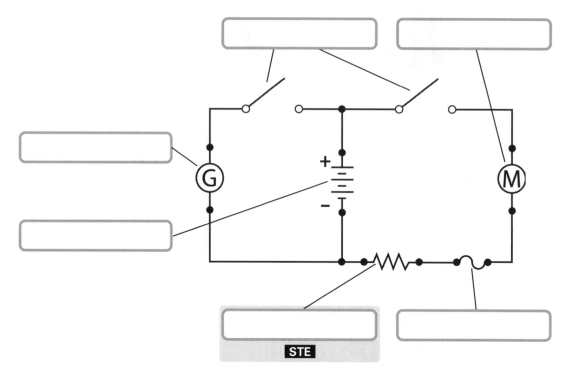

5. À l'aide d'un trait, associez chacune des photographies ci-dessous avec le symbole norma-lisé de la composante électrique qui y correspond.

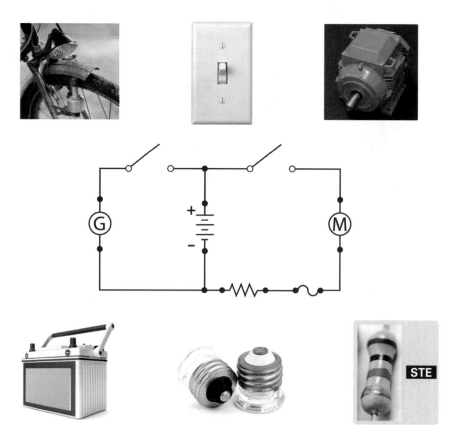

CONCEPT 3.3

Manuel, p. 459 et 460

La fonction de commande

Des termes à CONNAÎTRE

1. Quelle fonction électrique est assurée par un interrupteur dans un circuit électrique ?

_____

2. Nommez les différents types d'interrupteurs illustrés ci-dessous.

   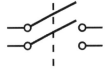

a) _____   *b)* _____   *c)* _____

_____   _____   _____

3. **STE** Complétez les phrases à l'aide des termes suivants.

• unipolaire   • bipolaire   • unidirectionnel   • bidirectionnel

a) Un interrupteur _____ met l'ensemble d'un circuit hors tension.

b) Un interrupteur _____ permet de déconnecter, en un point, l'alimentation d'un circuit électrique. Il peut donc être utilisé pour laisser certaines sections du circuit sous tension.

c) Un interrupteur _____ peut être soit en position « ouvert », soit en position « fermé ».

d) Un interrupteur _____ comporte plus d'une position « ouvert ». Il peut mettre en marche ou en arrêt plus d'un circuit.

Des concepts à COMPRENDRE

4. **STE** Vous éteignez votre téléviseur en appuyant sur l'interrupteur. L'écran devient noir, mais quelques heures après l'avoir éteint, l'appareil est encore chaud. Cela signifie que certains circuits de l'appareil sont restés sous tension.

Quel type d'interrupteur votre téléviseur possède-t-il ?

_____

UT
3.3

5. **STE** Une lampe de chevet est munie d'un interrupteur à bascule placé directement sur son fil. Cet interrupteur permet d'éteindre ou d'allumer la lampe. S'agit-il d'un interrupteur unidirectionnel ou bidirectionnel?

_____

6. **STE** Le circuit électrique ci-dessous possède trois interrupteurs (1, 2 et 3) et cinq ampoules (A, B, C, D et E). À l'aide de ce circuit, répondez aux questions.

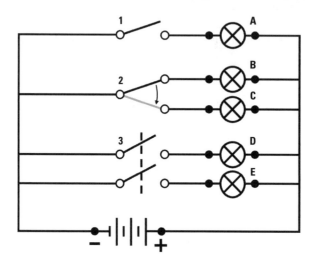

a) Quel type d'interrupteur est illustré en 1?

_____

b) Quel type d'interrupteur est illustré en 2?

_____

c) Quel type d'interrupteur est illustré en 3?

_____

d) Que se produit-il si on ferme l'interrupteur 1?

_____

e) Que se produit-il si on place l'interrupteur 2 en position supérieure?

_____

f) Que se produit-il si on place l'interrupteur 2 en position inférieure?

_____

g) Que se produit-il si on ferme l'interrupteur 3?

_____

7. **STE** À chacune des extrémités d'un long corridor se trouve un interrupteur. Chacun de ces interrupteurs permet d'allumer ou d'éteindre l'ampoule d'un plafonnier. Quel type d'interrupteurs l'électricien a-t-il installés dans ce corridor?

_____

UT
3.3

CONCEPT 3.4

 Manuel, p. 461 à 463

La fonction de transformation de l'énergie

Des termes à CONNAÎTRE

1. Quelle fonction est assurée par une composante qui transforme de l'énergie électrique en une autre forme d'énergie ?

   _____

2. Indiquez à quel type d'ampoule correspond chacune des descriptions suivantes.

   a) Ampoule remplie d'un gaz de la même famille que l'iode (I) et le brome (Br).

   _____

   b) Ampoule qui possède un filament de tungstène (W) et qui est remplie d'un gaz inerte.

   _____

   c) Ampoule qui peut avoir différentes formes et qui est remplie d'un gaz inerte dans lequel des décharges électriques créent un rayonnement ultraviolet.

   _____

3. Dans le circuit électrique ci-dessous, identifiez les différentes composantes qui transforment l'électricité.

UT 3.4

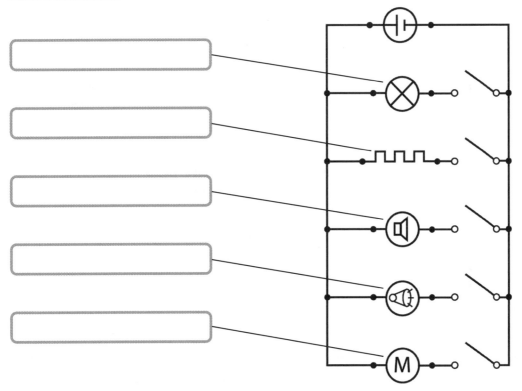

4. L'énergie électrique peut être transformée en énergie mécanique et générer des mouvements. Quelles sont les deux sortes de mouvements habituellement générés par des électroaimants et des moteurs ?

_____

5. Indiquez la forme d'énergie produite par chacun des objets présentés dans le tableau ci-dessous.

Objet	Énergie produite
Robot culinaire	
Écran d'ordinateur	
Radio	
Malaxeur	
Chaufferette	
Plinthe électrique	
Laser	
Élément de cuisinière	

6. Comment nomme-t-on chacune des ampoules ci-dessous ?

a) _____ b) _____ c) _____

7. Les trois types d'ampoules présentées à la question 6 contiennent un gaz. Toutefois, le rôle du gaz n'est pas le même dans chaque ampoule. Expliquez le rôle que joue le gaz dans chacune de ces ampoules.

_____

_____

_____

_____

_____

_____

_____

UT
3.4

CONCEPT 3.5

 Manuel, p. 464 à 467

Les fonctions du condensateur, de la diode, du transistor et du relais semi-conducteur STE

Des termes à CONNAÎTRE

1. Complétez les phrases suivantes.

   a) La fonction de la _____ est d'autoriser le passage du courant seulement dans un sens.

   b) Le _____ permet d'obtenir du courant continu à partir de courant alternatif.

   c) Le _____ assure la fonction de réserve temporaire d'énergie électrique.

2. Identifiez les symboles des composantes électriques illustrés ci-dessous.

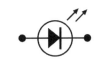 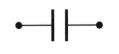

   a) _____   b) _____   c) _____

   _____   _____   _____

3. Dans le circuit électrique ci-dessous, identifiez les différentes composantes.

UT 3.5

   • diode
   • pont de diodes
   • source de courant alternatif
   • diode électroluminescente
   • section en courant alternatif
   • moteur
   • section en courant continu

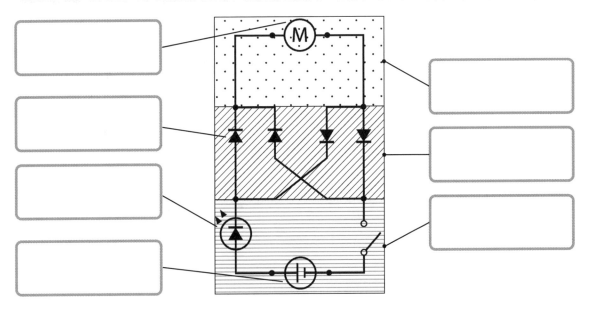

4. Expliquez le rôle des condensateurs qu'on trouve dans le bloc d'alimentation d'un ordinateur.

_____

_____

_____

5. Les deux schémas ci-dessous montrent le sens du courant dans un circuit électrique qui contient un pont de diodes. À l'aide de flèches, indiquez le sens du courant pour chacune des phases de ces circuits.

Phase 1 du cycle

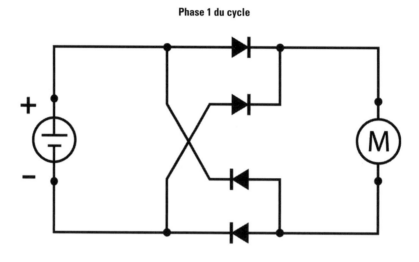

UT 3.5

Phase 2 du cycle

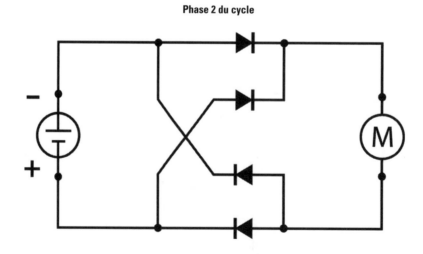

CONCEPT 4.1

Manuel, p. 472 à 474

Les contraintes

Des termes à CONNAÎTRE

1. Complétez la phrase suivante.

Une _____ correspond à la tendance d'un matériau à se déformer

lorsqu'il est soumis à une ou à plusieurs forces externes.

2. Identifiez chacune des contraintes décrites à l'aide des termes suivants.

- un cisaillement • une compression • une flexion • une torsion • une traction

a) Contrainte qui apparaît quand une partie du matériau est
comprimée tandis qu'une autre partie est étirée. _____

b) Contrainte qui apparaît dans un matériau soumis à deux
forces qui produisent des mouvements de rotation de
sens opposés. _____

c) Contrainte qui résulte de l'application de deux forces parallèles
de sens opposés et légèrement décalées. Sous l'effet de cette
contrainte, le matériau a tendance à se rompre ou à se fendre. _____

d) Contrainte qui apparaît dans un matériau qui est soumis à deux
forces de sens opposés qui tendent à l'étirer. _____

e) Contrainte qui apparaît dans un matériau soumis à deux forces
de sens opposés qui ont tendance à comprimer le matériau. _____

3. Les matériaux soumis à des contraintes subissent des déformations.

a) Comment nomme-t-on la déformation dans laquelle l'objet reprend sa forme initiale
une fois la contrainte disparue?

_____

b) Comment nomme-t-on la déformation dans laquelle l'objet ne reprend pas sa forme
initiale une fois la contrainte disparue?

_____

c) Comment nomme-t-on la limite de contrainte au-delà de laquelle un matériau peut être
endommagé?

_____

UT
4.1

Des concepts à COMPRENDRE

4. Associez chacune des contraintes à l'exemple qui y correspond.

Une torsion.		Un élastique que l'on étire.
Un cisaillement.		Un ressort que l'on écrase.
Une tension.		Un morceau de papier que l'on coupe avec des ciseaux.
Une flexion.		Un clou que l'on plie.
Une compression.		Deux roues de friction dans un système de transmission du mouvement.

5. Parmi les énoncés suivants, indiquez ceux qui se rapportent aux déformations élastiques et ceux qui se rapportent aux déformations plastiques.

	Déformation élastique	Déformation plastique
a) Un potier fabrique un pot à partir d'une boule de glaise.	☐	☐
b) Un arc se tend.	☐	☐
c) Une automobile entre en collision avec un poteau.	☐	☐
d) Mylène écrase un ballon qui reprend ensuite sa forme initiale.	☐	☐
e) Loïc pile des pommes de terre pour en faire de la purée.	☐	☐

UT
4.1

Des problèmes à RÉSOUDRE

6. Les trois objets ci-dessous ont subi une contrainte et une déformation. Complétez le tableau.

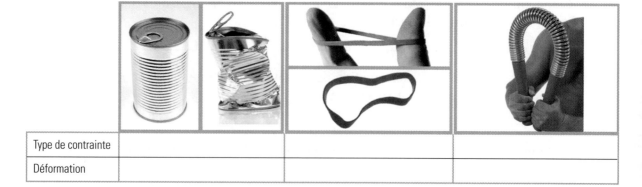

Type de contrainte			
Déformation			

CONCEPT 4.2

Manuel, p. 475 et 476

Les propriétés mécaniques des matériaux

Des termes à CONNAÎTRE

1. Complétez les phrases suivantes.

   a) Les _____ des matériaux indiquent la manière dont les matériaux se comportent en présence de contraintes.

   b) Lorsqu'un matériau est soumis à des contraintes répétées ou constantes, il peut devenir plus fragile. On appelle ce phénomène la _____.

2. Indiquez à quelle propriété mécanique correspond chacune des définitions ci-dessous.

   - ductilité
   - malléabilité
   - dureté
   - résilience
   - élasticité
   - résistance mécanique
   - fragilité

Définition	Propriété mécanique
Capacité d'un matériau de résister à la pénétration d'un autre matériau.	
Capacité d'un matériau d'être laminé en feuilles minces.	
Capacité d'un matériau de se déformer sans se rompre sous l'effet de contraintes importantes.	
Capacité d'un matériau de subir une contrainte particulière.	
Capacité d'un matériau de résister aux chocs.	
Capacité d'un matériau de se déformer puis de retrouver sa forme initiale.	
Disposition d'un matériau à se briser avant de subir une déformation plastique.	

Des concepts à COMPRENDRE

3. Indiquez à quelle propriété mécanique correspond chacun des exemples suivants.

   a) On enfonce un clou dans du bois. _____

   b) Un pneu d'auto s'écrase et reprend sa forme initiale après avoir traversé un nid-de-poule. _____

   c) Un verre se brise quand il tombe sur le sol. _____

UT 4.2

d) Un arc en bois laminé peut subir de grandes contraintes de
flexion avant de se briser. _____

e) Pour faire du fil de cuivre, on fait passer un cylindre de cuivre
dans une filière qui l'étire en fils de plus en plus petits sans
que ces derniers se rompent. _____

f) Un lingot d'or peut être laminé entre deux cylindres
qui réduisent son épaisseur jusqu'à en faire une feuille. _____

g) Le pare-chocs d'une automobile résiste à une collision
contre un poteau. _____

4. Trois règles faites d'un plastique différent sont soumises à un test qui vise à vérifier les
propriétés mécaniques de chacune d'elles. Associez chacun des tests à une propriété
mécanique.

a) On plie la première règle. Elle reprend sa forme initiale dès
qu'on la relâche. _____

b) Dès qu'on tente de plier la deuxième règle, elle se brise. _____

c) On plie la troisième règle. Elle ne se brise pas, mais elle
demeure pliée à 90°. _____

CONCEPT 4.3

📖 Manuel, p. 477 à 484

UT
4.2

Les types de matériaux et leurs propriétés

Des termes à CONNAÎTRE

1. Complétez les phrases à l'aide des termes suivants.

- céramiques
- élastomères
- fibres de renfort
- matières plastiques
- thermodurcissables

- céramiques modernes
- fibres d'aramide
- fibres de verre
- matrice
- thermoplastiques

- céramiques traditionnelles
- fibres de carbone
- matériaux composites
- polymère

a) Les _____ sont obtenues par des réactions chimiques de polymérisation.

b) La chimie moderne est à la base de la polymérisation, un procédé qui consiste à former une longue chaîne de molécules appelée _____ à partir de
substances provenant du raffinage des combustibles fossiles (pétrole et gaz naturel).

c) Les _____ sont des matières plastiques qui, sous l'effet de la chaleur, se ramollissent de telle façon qu'il est possible de les mouler pour leur donner la forme souhaitée.

d) Les _____ sont des matières plastiques produites en réalisant simultanément la fabrication du polymère et le moulage de l'objet ou de la pièce.

e) Les _____ sont des matières plastiques qui possèdent des propriétés élastiques.

f) Les _____ sont des matériaux généralement produits à partir de substances minérales (comme le sable ou l'argile), soit par cuisson à haute température, soit par réaction chimique, soit par fusion et solidification des constituants de base.

g) Les _____ sont fabriquées à partir de matières premières qui présentent beaucoup d'impuretés. Cette particularité de fabrication explique leur faible résistance mécanique.

h) Les _____ ont très peu de porosité, ce qui entraîne une grande résistance mécanique. Cette caractéristique explique leur utilisation dans de nombreux domaines.

i) Les _____ sont produits en combinant plusieurs matériaux afin d'obtenir un matériau qui possède de nouvelles et de meilleures propriétés mécaniques.

j) Le principe de production des matériaux composites consiste à incorporer des _____ d'un matériau donné à l'intérieur d'une _____ faite d'un autre matériau.

UT
4.3

k) Les fibres les plus couramment utilisées dans l'industrie sont :
- les _____ ;
- les _____ ;
- les _____ .

2. À quelle famille de matériaux peuvent être associés les objets ci-dessous ? Certains termes peuvent être utilisés plus d'une fois.

- métaux
- céramiques
- matières plastiques
- matériaux composites
- matériaux organiques

Barque en aluminium.

a) _____

T-shirt en coton.

d) _____

Pédalo en fibres de verre.

g) _____

Kayak en polyéthylène.

b) _____

Barque en bois.

e) _____

Parachute en nylon.

h) _____

Vaisselle en porcelaine.

c) _____

Mur en briques.

f) _____

Ailes d'avion en fibres de carbone.

i) _____

UT
4.3

3. Il existe plusieurs façons de fabriquer un jouet en plastique. Pour chacune des caractéristiques de fabrication décrites ci-dessous, de quel type de plastique est-il question ?

a) Pour fabriquer le jouet A, on chauffe une feuille de plastique afin de pouvoir la mouler et lui donner la forme désirée. _____

b) Pour fabriquer le jouet B, on utilise une poudre de produits chimiques que l'on place dans un moule que l'on chauffe. Un plastique se forme dans le moule et durcit quand on le refroidit. _____

c) Pour fabriquer le jouet C, on utilise un plastique qui possède des propriétés élastiques. _____

4. Nommez les quatre principales propriétés des céramiques.

_____

_____

_____

_____

_____

5. Nommez trois objets d'usage courant qui sont faits de céramique.

_____

6. Le béton armé est composé de tiges d'acier noyées dans le béton.

   a) Quel constituant du béton armé correspond à la matrice ? _____

   b) Quel constituant du béton armé correspond aux fibres de renfort ? _____

7. Un canot est constitué d'un matériau composé de fibres de verre noyées dans une résine époxy.

   a) Quel rôle joue la résine époxy ? _____

   b) Quel rôle jouent les fibres de verre ? _____

8. Indiquez si chacun des énoncés suivants est vrai ou faux. Rectifiez l'énoncé lorsqu'il est faux.

   a) Un thermoplastique est facilement recyclable.

   ☐ _____

   _____

   b) Un thermoplastique conserve ses propriétés si on le chauffe pour lui donner une nouvelle forme.

   ☐ _____

   _____

   c) Les thermoplastiques composent 10 % des plastiques utilisés dans l'industrie.

   ☐ _____

   _____

   d) Les objets faits de plastique thermodurcissable peuvent changer de forme à la chaleur.

   ☐ _____

   _____

   e) Pour recycler les plastiques thermodurcissables, il faut les fragmenter en petits morceaux.

   ☐ _____

   _____

UT
4.3

CONCEPT 4.4

Manuel, p. 485 et 486

La modification des propriétés des matériaux

Des termes à **CONNAÎTRE**

1. Complétez la phrase suivante.

La _____ des matériaux est un processus qui
entraîne la modification de leurs propriétés par leur environnement.

Des concepts à **COMPRENDRE**

2. Nommez cinq facteurs qui peuvent entraîner la dégradation des matériaux.

_____

_____

3. Quelle est la principale cause de la dégradation du bois?

_____

4. Nommez trois façons de protéger le bois.

_____

_____

**UT
4.4**

5. En plus de la présence d'eau ou d'humidité, nommez deux autres facteurs qui peuvent
influencer la corrosion des métaux.

_____

_____

6. Nommez deux façons de protéger les métaux contre la corrosion.

_____

_____

7. Les toits de certains édifices sont recouverts de feuilles de cuivre (Cu). Or, bien que le
cuivre soit un métal qui s'oxyde très rapidement, ces toits durent très longtemps.
Expliquez pourquoi.

_____

_____

_____

CONCEPT 4.5

 Manuel, p. 487

Les traitements thermiques STE

Des termes à CONNAÎTRE

1. Complétez les phrases à l'aide des termes suivants.

    • trempe   • recuit   • revenu   • traitement thermique

    a) Le _____ des alliages est un procédé au cours duquel on
        fait varier la température des alliages pour leur donner de nouvelles propriétés
        mécaniques.

    b) La _____ consiste à refroidir rapidement un alliage, après l'avoir
        chauffé, en le trempant dans un fluide (liquide ou gaz) pour obtenir un alliage extrê-
        mement dur.

    c) Le _____ consiste à chauffer un alliage trempé à une température
        précise pour le rendre un peu plus ductile, tout en lui permettant de conserver une
        certaine dureté.

    d) Le _____ a pour but de retrouver les propriétés mécaniques origi-
        nales d'un alliage en le chauffant suffisamment, puis en le laissant refroidir lentement.

UT
4.5

Des concepts à COMPRENDRE

2. Pour fabriquer une lime, on a besoin d'un métal très dur. Quel traitement thermique
    utilisera-t-on pour durcir le métal qui servira à fabriquer cette lime?

    _____

3. Quel traitement utilisera-t-on si on veut usiner plus
    facilement des alliages ou effacer les traces sur une
    pièce qui a subi de nombreuses contraintes au
    moment de sa mise en forme par cambrage?

    _____

4. Quel traitement thermique utilisera-t-on si on veut
    rendre un peu plus ductile une pièce de métal qui
    a été trempée?

    _____

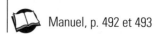
Manuel, p. 492 et 493

Le façonnage STE

Des termes à CONNAÎTRE

1. Complétez les phrases suivantes.

   a) Le _____ est l'opération qui consiste à donner une forme précise à un matériau au moyen d'outils ou de machines-outils.

   b) L'_____ est le terme généralement employé pour désigner les différentes techniques de façonnage.

Des concepts à COMPRENDRE

2. Pour chacune des actions de façonnage définies dans le tableau ci-dessous :

   • nommez la technique d'usinage ;
   • donnez le nom de l'outil utilisé.

Définition	Technique d'usinage	Outil
Production d'une rainure hélicoïdale sur la surface intérieure d'un objet.		
Manipulations diverses effectuées sur des feuilles de métal pour leur donner une forme.		
Pliage d'une plaque de métal.		
Mise en forme à chaud d'un métal ou d'une matière plastique à l'aide d'un moule.		
Coupe du bois, du métal, du plastique, dégagement de trous, coupe de contours.		
Façonnage d'une pièce de bois ou de métal en rotation à l'aide d'une gouge.		
Mise en forme d'une pièce de bois, de métal ou de matière plastique par l'enlèvement d'une partie du matériau.		
Production d'une rainure hélicoïdale sur la surface extérieure d'un objet.		
Manipulation qui consiste à déformer une feuille de métal ou de matière plastique à l'aide d'un poinçon et d'une matrice pour lui donner une forme en trois dimensions.		

UT 5.1

Définition	Technique d'usinage	Outil
Mise en forme à chaud d'un métal.		
Perçage de différents matériaux à des diamètres divers et à précision variable selon l'outil utilisé.		

3. Observez les outils ci-dessous.

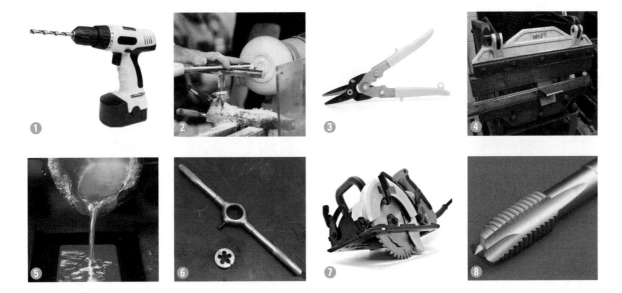

Lequel de ces outils pourrait être utilisé par chacune de ces activités de façonnage ?

a) Élyse transforme un clou en vis en y faisant des filets.

b) Dominic fabrique une patte de chaise ronde à partir d'une pièce de bois carrée.

c) Mercédès découpe des formes géométriques dans une feuille de tôle pour en faire un mobile.

d) Lucie verse de l'or fondu dans un moule pour lui donner une forme cubique.

e) Diego perce un trou dans une planche pour y insérer une vis.

f) Gregory coupe des madriers pour construire un mur.

g) Gabriela plie une tôle de cuivre à 90° pour faire le toit d'une mangeoire pour les oiseaux.

h) William fait des filets dans le trou d'une pièce de métal afin de pouvoir y fixer une vis.

UT
5.1

Des problèmes à RÉSOUDRE

4. Mélina désire construire une cabane pour les oiseaux. Elle utilise des planches de contre-plaqué pour les côtés et le fond de la cabane et de la tôle d'acier galvanisée pour le dessus. Nommez trois techniques de façonnage qu'utilisera Mélina pour fabriquer sa cabane et précisez l'utilité de chacune.

_____

_____

_____

_____

CONCEPT 5.2

 Manuel, p. 494 à 499

La fabrication STE

Des termes à CONNAÎTRE

1. Complétez les phrases suivantes.

    a) La _____ est l'ensemble des opérations qui permettent la construction d'un objet technique.

    b) Le _____ est l'action de reporter les indications fournies dans la gamme de fabrication sur un matériau.

2. Nommez chacun des instruments de traçage illustrés ci-dessous.

a) _____

d) _____

g) _____

b) _____

e) _____

h) _____

c) _____

f) _____

i) _____

UT
5.1

Des concepts à COMPRENDRE

3. Parmi les trois forets illustrés ci-dessous :

   a) Lequel est le mieux adapté pour percer le plastique ? _____

   b) Lequel est adapté pour percer le métal dur ? _____

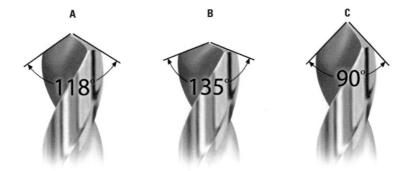

4. Pour percer une pièce avec précision, il est préférable d'utiliser une perceuse à colonne plutôt qu'une perceuse manuelle. Donnez deux raisons qui justifient ce fait.

   _____

   _____

   _____

   _____

5. Sur une perceuse à colonne, on peut ajuster la vitesse en fonction du diamètre du trou à percer et de la nature du matériau à percer.

   a) On perce un trou de 4 mm dans une pièce d'acier, puis un trou de 12 mm dans la même pièce d'acier. Quel perçage exige la vitesse la plus basse ?

   _____

   b) On perce un trou de 8 mm dans le bois et un autre de 8 mm dans l'acier. Quel perçage exige la vitesse la plus basse ?

   _____

UT 5.2

6. Dans la photographie ci-dessous, identifiez :
   • le pas de vis ;
   • la profondeur du filet ;
   • le profil du filet.

7. Le filet d'une vis se caractérise par sa profondeur, son profil et son pas de vis. Quelle caractéristique décrit-on quand on indique que la vis possède 6 filets sur une longueur de 10 mm ?

_____

8. Sur une longueur de 10 mm, combien de filets possède une vis qui a un pas de vis de 2 mm ?

_____

9. Benjamin veut faire un filet dans une pièce de métal à l'aide d'un taraud. Le taraud qu'il utilise possède un diamètre externe de 6 mm. Benjamin doit d'abord percer un trou dans la pièce de métal. Cette opération nécessite-t-elle un taraud un peu plus grand ou un peu plus petit que 6 mm ?

_____

10. Dans l'illustration ci-dessous, identifiez les deux principales parties d'une presse à cambrer.

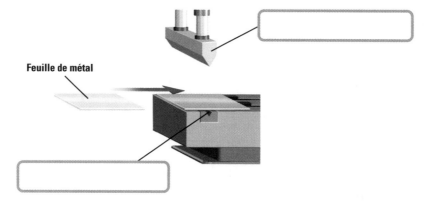

Feuille de métal

UT
5.2

CONCEPT 5.3

Manuel, p. 500 à 502

La mesure et le contrôle STE

Des termes à CONNAÎTRE

1. Complétez les phrases à l'aide des termes suivants.

   • contrôle   • mesure directe   • tolérances   • mesure par calcul   • mesure

   a) La _____ est la détermination précise des dimensions (longueurs, diamètres et angles) d'une pièce avant et après l'usinage.

   b) Le _____ est la vérification d'une pièce pour s'assurer qu'elle satisfait aux exigences de la gamme de fabrication.

c) On distingue deux types de mesures: la _____, qui est prise à l'aide d'instruments de mesure comme une règle, et la _____, réalisée à l'aide d'opérations mathématiques.

d) Le contrôle régulier des pièces au cours de leur fabrication permet de vérifier si elles respectent les _____ spécifiées dans la gamme de fabrication.

Des concepts à **COMPRENDRE**

2. Nommez trois instruments qui permettent de prendre des mesures directes.

_____

_____

_____

3. Pourquoi est-il important de contrôler les dimensions des pièces après leur fabrication?

_____

_____

_____

4. Dans le tableau ci-dessous:

- nommez les instruments de contrôle illustrés;
- indiquez la technique de contrôle qui correspond à chacun.

Instrument de contrôle	Nom	Technique de contrôle

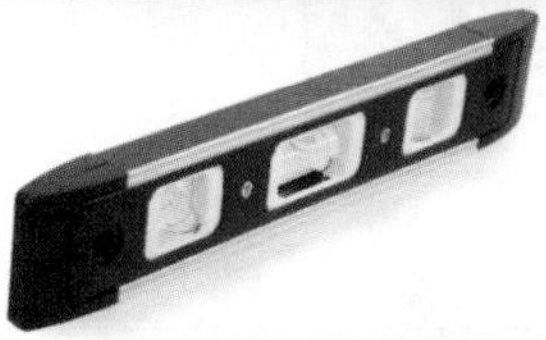		
 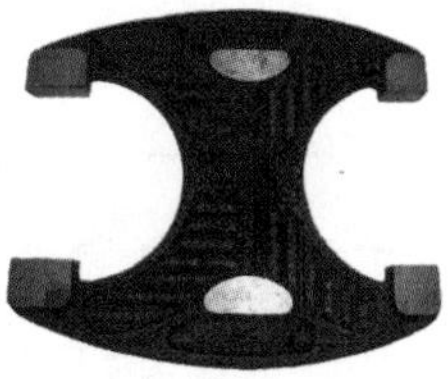		

UT
5.3

5. Pour fabriquer un meuble, un menuisier doit connaître les dimensions d'une pièce de bois qui correspond au triangle rectangle ci-dessous.

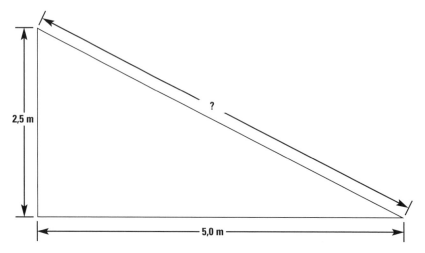

a) Quelle est la longueur de l'hypoténuse de ce triangle rectangle ?

_____

b) Quelle méthode de mesure avez-vous utilisée pour trouver ce résultat ?

_____

DÉFI

6. Une ébéniste veut s'assurer que la pièce de bois ci-dessous est parfaitement rectangu-laire. À cette fin, elle fait deux mesures et constate que les diagonales A et B ont exactement la même longueur. Cette pièce de bois est-elle parfaitement rectangulaire ? Justifiez votre réponse.

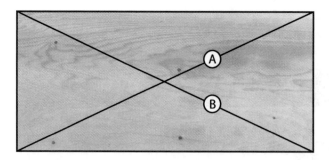

_____

_____

_____

_____

_____

CONCEPT 6.1

Manuel, p. 506 à 508

Le traitement des eaux usées STE

Des termes à CONNAÎTRE

1. Complétez le texte à l'aide des termes suivants.

   - boues primaires
   - prétraitement physique
   - traitement physicochimique
   - boues secondaires
   - traitement biologique
   - usines d'épuration
   - eaux usées
   - traitement complémentaire

Les _____ sont des eaux contaminées qui sont rejetées après leur utilisation domestique ou industrielle. Dans les villes, les eaux usées sont généralement collectées par un réseau d'égouts puis traitées dans des _____.
Là, les eaux usées subissent d'abord un _____ qui consiste en une série de procédés permettant d'éliminer les plus gros déchets solides et les matières insolubles comme les huiles et les graisses.

Ensuite, un procédé de décantation, appelé « _____ », permet d'éliminer une partie de la matière en suspension dans les eaux usées. Les matières solides forment alors un lit de _____ au fond du bassin.

Enfin, un procédé permettant d'éliminer la matière organique en suspension dans les eaux usées, appelé « _____ », est appliqué. Les matières solides se déposent alors au fond d'un bassin de décantation sous forme de
_____.

Certaines usines font aussi un _____ qui comprend, par exemple, la désinfection, la déphosphatation et la filtration.

Des concepts à COMPRENDRE

2. Identifiez chacun des traitements des eaux usées décrits ci-dessous à l'aide des termes suivants.

   - dégrillage
   - sédimentation
   - traitement physicochimique
   - déshuilage
   - traitement biologique
   - prétraitement physique
   - traitement complémentaire

   a) Des produits chimiques ajoutés à l'eau forment des flocons de résidus qui décantent au fond du bassin et forment ainsi les boues primaires.

   _____

b) Les huiles et les graisses produisent de la mousse à la surface de l'eau. Cette mousse est enlevée par écrémage à l'aide d'un racloir.

_____

c) Les matières insolubles et les gros déchets solides sont éliminés.

_____

d) Les eaux usées passent à travers une grille qui retient les gros déchets flottants.

_____

e) L'eau passe dans des bassins. Le gravier et le sable se déposent au fond des bassins par gravité.

_____

f) L'eau est désinfectée, filtrée ou déphosphatisée.

_____

g) L'action des microorganismes est stimulée, ce qui permet d'éliminer des matières organiques. Les solides ainsi obtenus forment les boues secondaires.

_____

3. Complétez l'illustration ci-dessous.

Le prétraitement physique des eaux usées.

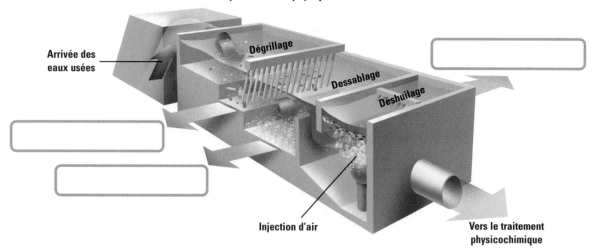

Arrivée des eaux usées

Dégrillage

Dessablage

Déshuilage

Injection d'air

Vers le traitement physicochimique

UT 6.1

4. Vrai ou faux ?

	Vrai	Faux
a) Toute la matière organique est retirée des eaux usées au moment du prétraitement physique.	☐	☐
b) Les boues retirées des eaux usées par le traitement biologique peuvent servir d'engrais.	☐	☐
c) Toute la matière organique est retirée des eaux usées au moment du traitement biologique.	☐	☐
d) En règle générale, le traitement complémentaire n'est pas nécessaire au traitement des eaux usées.	☐	☐

CONCEPT 6.2

 Manuel, p. 509 et 510

La biodégradation des polluants STE

Des termes à CONNAÎTRE

1. Complétez les phrases à l'aide des termes suivants.

- bioaugmentation
- biodégradation des polluants
- biorestauration
- biostimulation
- phytoremédiation

a) La _____ est le processus naturel de décomposition des contaminants par l'action des microorganismes et des végétaux.

b) La _____, également appelée « bioréhabilitation » ou « bioremédiation », consiste à utiliser des microorganismes pour dépolluer les eaux et les sols contaminés.

c) La _____ consiste à favoriser la croissance et l'activité des bactéries déjà présentes dans le milieu par l'ajout de substances nutritives ou de dioxygène (O_2).

d) La _____ consiste à introduire, dans le milieu contaminé, des microorganismes particuliers capables de dégrader un type précis de polluant.

e) La _____ consiste à utiliser des végétaux pour dépolluer les sols.

Des concepts à COMPRENDRE

2. Les énoncés suivants décrivent des actions entreprises pour dépolluer les eaux et les sols. Identifiez chacun des processus mis en œuvre pour y parvenir.

a) Un déversement de pétrole contamine le sol d'une plage du fleuve Saint-Laurent. On répand alors des engrais qui vont stimuler la croissance d'une espèce de bactérie présente dans le sol. Cette bactérie va « digérer » le pétrole et dépolluer la plage.

_____

b) Dans le sol pollué d'une usine de produits chimiques, on introduit de nouvelles bactéries qui vont dégrader le polluant et le transformer en une substance inoffensive.

_____

c) Afin de purifier l'eau de ses égouts, une industrie crée un marais, qui contient de nombreuses plantes aquatiques, dans lequel les eaux polluées de l'usine seront filtrées.

_____

UT
6.2

3. Nommez trois plantes fréquemment utilisées en phytoremédiation.

_____

_____

4. Pour quelle raison est-il important de ne pas consommer les plantes utilisées par la phytoremédiation d'un site contaminé?

_____

_____

_____

CONCEPT 6.3

📖 Manuel, p. 511 à 514

Le clonage STE

Des termes à CONNAÎTRE

1. Complétez les phrases à l'aide des termes suivants.

- clonage
- clonage reproductif
- clonage thérapeutique
- culture *in vitro*
- reproduction asexuée
- transfert de noyau

a) Le _____ est la reproduction d'un organisme vivant ou d'une de ses parties pour en obtenir une copie conforme.

b) Une _____ produit des individus génétiquement identiques au parent unique dont ils sont issus.

c) La _____, aussi appelée « micropropagation », consiste à produire en laboratoire, dans un milieu stérile et contrôlé, des plantes entières à partir de cellules ou de tissus d'une plante mère.

d) Le _____ vise à produire de nouveaux individus génétiquement identiques à partir d'un parent unique.

e) La technique du _____ consiste à transplanter le noyau d'une cellule adulte dans un ovule dont on a enlevé le noyau.

f) Le _____ consiste à produire des cellules souches embryonnaires à partir d'une cellule humaine. Avec celles-ci, on fabrique des cellules spécialisées, des tissus ou des organes qu'on greffera sur un humain afin de le soigner.

UT
6.2

2. Indiquez si chacun des énoncés suivants est vrai ou faux. Rectifiez l'énoncé lorsqu'il est faux.

   a) Les clones sont génétiquement identiques au parent unique dont ils sont issus.

   b) Les clones n'existent pas dans la nature, il s'agit de créations des biologistes.

   c) Il est impossible de faire du clonage végétal à la maison.

3. Identifiez les trois techniques de reproduction par clonage végétal illustrées ci-dessous.

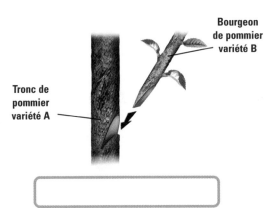

Bourgeon de pommier variété B

Tronc de pommier variété A

4. Identifiez chacune des techniques de clonage végétal présentées dans les énoncés suivants.

   a) Pour obtenir une épinette noire, il suffit de plier une de ses branches mature jusqu'au sol et d'en enterrer une partie. La partie enterrée produira des racines et, éventuellement, un nouvel arbre.   _____

b) Dans les centres de jardinage, on trouve des pommiers qui produisent cinq variétés différentes de pommes sur un même arbre. Pour obtenir de tels arbres, un jardinier a inséré des bourgeons de cinq pommiers différents dans des entailles faites dans l'écorce d'un arbre porteur. _____

c) Votre voisine vous donne une courte tige coupée provenant d'une de ses plantes. Vous placez la tige dans l'eau jusqu'à ce qu'elle fasse des racines, puis vous la plantez dans un pot qui contient de la terre. _____

d) Un pépiniériste utilise des cellules d'un plant de saule qu'il cultive dans un laboratoire en milieu stérile pour produire des milliers de plants de saule identiques au premier. _____

5. Il existe deux types de clonage animal.

a) Lequel est utilisé pour reproduire des individus entiers?

_____

b) Lequel est utilisé pour obtenir des cellules souches?

_____

6. Les énoncés suivants concernent le clonage thérapeutique. Indiquez si chacun des énoncés est vrai ou faux. Rectifiez l'énoncé lorsqu'il est faux.

a) Le clonage thérapeutique vise à reproduire de nouveaux individus.

b) La brebis Dolly est un exemple spectaculaire de clonage thérapeutique.

c) Les chercheurs qui travaillent sur le clonage thérapeutique espèrent pouvoir produire des organes entiers à partir de cellules souches. Ces organes pourraient ensuite être greffés sur des humains.

d) Les tissus ou les organes qui proviennent des cellules souches d'une personne ne sont pas rejetés par cette même personne si c'est sur elle que l'on pratique la greffe.

7. Répondez aux questions à l'aide du schéma.

Le clonage reproductif par transfert du noyau d'une cellule adulte

Brebis A
Donneuse d'un noyau
(contenant tous ses gènes)

Brebis B
Donneuse d'un ovule

Brebis C
Mère porteuse

Ⓐ Prélèvement de cellules adultes de la brebis A

Ⓑ Prélèvement d'un ovocyte non fécondé (ovule) de la brebis B

Ⓒ Retrait du noyau de l'ovule

Ⓓ Transfert de noyau: fusion cellulaire par choc électrique ou injection directe du noyau dans l'ovule

Ⓔ Développement d'un embryon

Ⓕ Implantation de l'embryon A dans la brebis C (mère porteuse)

Ⓖ Naissance de l'agneau cloné

UT
6.3

a) Parmi les brebis A, B et C, laquelle désire-t-on reproduire?

_____

b) Lesquelles de ces brebis ne contribuent d'aucune façon au patrimoine génétique de l'agneau cloné?

_____

c) De quelle brebis l'agneau sera-t-il le jumeau identique?

_____

d) Quelle brebis accouchera de l'agneau?

_____

SOURCES

Légende h : haut b : bas c : centre g : gauche d : droite

Photos

Couverture
(cheminée d'usine) Kyle Smith/Shutterstock ; (brûleur Bunsen) Shelley D. Spray/Corbis ; (champ de maïs) Corbis ; (Terre vue de l'espace) NASA/Roger Ressmeyer/Corbis ; (Atomium) Charles & Josette Lenars/Corbis ; (solution) Ted Horowitz/Corbis ; (fils électriques) Demarcomedia/Shutterstock ; (œil de caméléon) Daniel Heuclin/Biosphoto

Liminaires
p. III : hg. Charles & Josette Lenars/Corbis ; hd. Daniel Heuclin/Biosphoto ; cg. NASA/Roger Ressmeyer/Corbis ; cd. David Parker/SPL/Publiphoto

Univers matériel
p. 1 : Charles & Josette Lenars/Corbis • p. 10 : Scott Rothstein/Shutterstock • p. 12 : Dario Sabljak/Shutterstock • p. 20 : iStockphoto • p. 21 : Canismaior/Shutterstock • p. 25 : Tatjana Rittner/iStockphoto • p. 32 : Tischenko Irina/Shutterstock • p. 38 : M. Fermariello/SPL/Publiphoto • p. 40 : Francesco Rossetti/iStockphoto • p. 46 : Allan Shoemake/Getty Images • p. 51 : Louis Duchesne, MRNF, 2004 • p. 57 : g. Wikipedia Commons • p. 57 : c. Yenwen Lu/iStockphoto • p. 57 : d. Gary Marti/iStockphoto • p. 59 : Frans Lanting/Corbis • p. 63 : Stephen Girimont/Shutterstock • p. 64 : Sebastian Santa/iStockphoto • p. 68 : Paul Morton/iStockphoto • p. 71 : Onur Döngel/iStockphoto • p. 73 : Alex Slobodkin/iStockphoto • p. 75 : Dieter Spears/iStockphoto • p. 77 : Mike Flippo/Shutterstock • p. 81 : Bart Sadowski/iStockphoto • p. 85 : Marcio Silva/iStockphoto • p. 87 : Damir Cudic/iStockphoto • p. 88 : g. Cloki/Shutterstock ; d. Christopher Ewing/Shutterstock • p. 93 : Petr Wagenknecht/iStockphoto • p. 94 : Diego Cervo/iStockphoto • p. 97 : Gregory Spencer/iStockphoto • p. 108 : Cloki/Shutterstock • p. 114 : Sony H/Shutterstock • p. 115 : TebNad/Shutterstock • p. 117 : Stefano Tiraboschi/Shutterstock • p. 127 : Jan Rysavy/iStockphoto

Chapitre 2 – Terre et espace
p. 131 : NASA/Roger Ressmeyer/Corbis • p. 133 : Jiri Vaclavek/Shutterstock • p. 136 : iStockphoto • p. 141 : Nikolay Okhitin/Shutterstock • p. 147 : Mikael Damkier/Shutterstock • p. 158 : Google earth • p. 159 : Ryan Lane/iStockphoto • p. 164 : Elnur/Shutterstock •p. 165 : hg. Reproduit avec la permission de Ressources naturelles Canada 2008, gracieuseté de la Commission géologique du Canada ; hd. Linux Patrol/Shutterstock ; bg. Pichugin Dmitry/Shutterstock ; bd. Armin Rose/Shutterstock • p. 166 : Matthew Rambo/iStockphoto • p. 167 : iStockphoto • p. 169 : Colin Stitt/Shutterstock • p. 172 : Martin Novak/Shutterstock • p. 174 : Ryasick photography/Shutterstock • p. 175 : Melissa Carroll/iStockphoto• p. 179 : Robert Adrian Hillman/Shutterstock • p. 184 : Todd Mestemacher/Shutterstock • p. 186 : hg. Mario Bruno aka Vladimir Wrangel/Shutterstock ; hc. Eric Isselée/Shutterstock ; hd. Jack Dagley Photography/Shutterstock ; bg. Ttphoto/Shutterstock ; bc. R. S. Ryan/Shutterstock ; bd. StillFX/Shutterstock

Chapitre 3 – Univers vivant
p. 199 : Daniel Heuclin/Biosphoto • p. 203 : javarman/Shutterstock • p. 207 : David T Gomez/iStockphoto • p. 212 : mashe/Shutterstock • p. 218 : Monkey Business Images/Shutterstock

Chapitre 4 – Univers technologique
p. 223 : David Parker/SPL/Publiphoto • p. 230 : (couteau suisse) Iurii Konoval/Shutterstock ; (blocs) HANA/Shutterstock ; (pelle) Pablo Eder/Shutterstock ; (amortisseur) Maksim Toome/iStockphoto • p. 231 : (souris) Aga Rafi/Shutterstock ; (lampe) Juergen Taech/iStockphoto ; (vélo) TTphoto/Shutterstock ; (antenne) SPbPhoto/Shutterstock ; (poignée) White Smoke/Shutterstock ; (joint de cardan) yuyangc/Shutterstock ; (trombone) Rodrigo Blanco/iStockphoto • p.238 : Alistair Scott/iStockphoto • p. 240 : StillFX/iStockphoto • p. 242 : (dynamo) Damian Palus/Shutterstock ; (pile) Kasia/Shutterstock ; (batterie) Alexey Dudoladov/iStockphoto ; (prise de courant) Mike McDonald/Shutterstock ; (perceuse électrique) Marc Dietrich/Shutterstock ; (lampe de poche) Sony Ho/Shutterstock ; (ventilateur) Oleg V. Ivanov/Shutterstock ; (téléphone) djslavic/Shutterstock ; (perceuse à piles) Adam Borkowski/Shutterstock ; (téléviseur) Marysia Frankiewicz/Shutterstock • p. 243 : Laura Young/iStockphoto • p. 244 : g. et c. demarcomedia/Shutterstock ; d. iStockphoto • p. 245 : hg. Kyle Nelson/iStockphoto ; hc. Don Wilkie/iStockphoto ; hd. Alexander Copeland/iStockphoto ; bg. iStockphoto ; bd. Mr Lane/Shutterstock • p. 246 : hg. Damian Palus/Shutterstock ; hc. pixhook/iStockphoto ; hd. Yury Kosourov/Shutterstock ; bg. Alexey Dudoladov/iStockphoto ; bc. Don Wilkie/iStockphoto ; bd. Mr Lane/Shutterstock • p. 250 : g. Christopher Ewing/Shutterstock ; c. Andrey Borodin/Shutterstock ; d. cloki/Shutterstock • p. 254 : (conserve intacte) Cre8tive Images/Shutterstock ; (conserve écrasée) Roman Milert/iStockphoto ; (élastique tendu) hd connelly/Shutterstock ; (élastique) HomeStudio/Shutterstock ; (ressort) PeJo/Shutterstock • p. 257 : Ints Vikmanis/Shutterstock • p. 258 : hg. Angela Hill/iStockphoto ; hc. Stanislav Fadyukhin/iStockphoto ; hd. Phil Augustavo/iStockphoto ; cg. Yenwen Lu/iStockphoto ; c. Jason van der Valk/iStockphoto ; hd. JurgaR/iStockphoto ; bg. Olena Savytska/iStockphoto ; bc. Paul Kline/iStockphoto ; bd. Ronald Sumners/Shutterstock • p.260 : Micheal O Fiachra/iStockphoto • p. 261 : iofoto/Shutterstock • p. 263 : (perceuse) Adam Borkowski/Shutterstock ; (tour) pjmorley/Shutterstock ; (cisaille) iStockphoto ; (presse) Alain Pratte ; (moule) Charles O'Rear/Corbis ; (porte-filière) Alain Pratte ; (scie) William Howell/iStockphoto ; (taraud) Josef Bosak/Shutterstock • p. 264 : hg. Bill McKelvie/Shutterstock ; hc. iStockphoto ; hd. Stephen Aaron Rees/Shutterstock ; cg. Galushko Sergey/Shutterstock ; c. Alain Pratte ; cd. Skip ODonnell/iStockphoto ; bg. Carl Durocher/iStockphoto ; bc. Doug Stevens/Shutterstock ; bd. Michael Fuery/Shutterstock • p. 265 : pjmorley/Shutterstock • p. 267 : (équerre) iStockphoto ; (table) Alain Pratte ; (niveau) Doug Stevens/Shutterstock ; (calibres) Alain Pratte

Cartes et illustrations

ENVIRONNEMENT CANADA, Service canadien des forêts, Centre de foresterie de l'Atlantique : 178

Late Night Studio : 2, 3, 9, 22, 33b, 56, 58, 107

Marc Tellier : 224, 226g et c, 242, 247

Martin Gagnon : 193, 196, 198, 214, 215, 216, 219, 270

Michel Rouleau : 23, 33h, 83, 84, 96, 98, 101, 108, 109, 111, 125, 126, 128, 130, 132, 134, 135, 145, 146, 149, 150, 151, 152, 157, 162, 168, 170, 171, 173, 176, 182, 190, 192, 209, 225, 226d, 228, 231, 234, 235, 236, 237, 238, 245, 246, 248, 249, 251, 252, 265, 266, 268, 273, 275

Yanick Vandal : 142, 158, 161, 180, 187